Jonny Zucker

A•A

Pour Janice et Steph

Éditeur : François Doucet
Traduction : Alison Martin et Sophie Beaume
Révision linguistique : Nicolas Whiting
Correction d'épreuves : Nancy Coulombe, Katherine Lacombe
Montage de la couverture : Matthieu Fortin
Illustrations : © 2009 Ned Woodman
Mise en pages : Sébastien Michaud
ISBN papier 978-2-89733-198-6
ISBN PDF numérique 978-2-89733-199-3
ISBN ePub 978-2-89733-200-6
Première impression : 2013
Dépôt légal : 2013
Bibliothèque et Archives nationales du Québec
Bibliothèque Nationale du Canada

Éditions AdA Inc.
1385, boul. Lionel-Boulet
Varennes, Québec, Canada, J3X 1P7
Téléphone : 450-929-0296
Télécopieur : 450-929-0220
www.ada-inc.com
info@ada-inc.com

Diffusion
Canada : Éditions AdA Inc.
France : D.G. Diffusion
Z.I. des Bogues
31750 Escalquens — France
Téléphone : 05.61.00.09.99
Suisse : Transat — 23.42.77.40
Belgique : D.G. Diffusion — 05.61.00.09.99

Imprimé au Canada

Participation de la SODEC. SODEC
Nous reconnaissons l'aide financière du gouvernement du Canada par l'entremise du Fonds du livre du Canada (FLC) pour nos activités d'édition.
Gouvernement du Québec — Programme de crédit d'impôt pour l'édition de livres — Gestion SODEC.

MAX FLASH

MISSION 5

FROID POLAIRE

Jonny Zucker

Illustré par
Ned Woodman

ADA JEUNESSE

La vague, gigantesque, mesurait au moins 10 mètres, et elle déferlait vers lui à toute vitesse. Max était au beau milieu de la mer. Le littoral californien n'était plus qu'un gribouillis de sable ondulé à l'horizon. Il pouvait entendre le sifflement et le grondement de l'eau tandis que la vague avançait.

Max inspira profondément alors que la vague se rapprochait de lui. Ses prochains mouvements étaient absolument cruciaux. Qu'il soit un excellent nageur et puisse retenir sa respiration plus longtemps que la plupart des gens sur terre importait peu ;

s'il minutait mal les choses, l'eau dévastatrice le ferait plonger vers sa mort en l'enfonçant profondément sous la surface de l'océan.

Max pagaya à l'aide de puissants mouvements de bras et, tandis que la houle le rattrapait, il bondit sur ses pieds. Il fila sur la surface de la vague pour prendre de la vitesse. La crête écumante s'enroula alors autour de lui.

De la côte, Max était complètement hors de vue. Mais lorsque la vague se brisa contre la surface de l'océan, il sortit à toute vitesse du tunnel d'eau grondant, indemne et fou de joie.

– GÉNIAL ! s'exclama-t-il, ravi et le poing levé en signe de victoire.

Champions de surf du monde, prenez garde !

Max distinguait à peine ses parents sur la plage, au loin, occupés à lézarder au soleil sur des chaises longues. Il s'apprêtait à faire tourner sa planche pour partir à la recherche de la prochaine vague grondante lorsqu'il entendit un signal sonore métallique provenant de ses lunettes de soleil. Il appuya sur un petit bouton noir sous la monture. Immédiatement, un écran plasma miniature se superposa au verre de droite.

Le visage d'une femme aux cheveux blonds tirés en arrière et aux yeux bleus de glace apparut à l'écran. C'était Zavonne, et elle avait l'air extrêmement sérieux.

Zavonne travaillait pour le MDAS (le Ministère des Affaires Surnaturelles). Le MDAS s'occupait de toutes les affaires qui ne pouvaient pas être confiées aux autorités officielles. Si des ombres prenaient vie ou des extraterrestres de la planète Krystal 76 pénétraient dans l'atmosphère de la Terre, le MDAS était le premier sur place et « remettrait les choses en ordre » avant même que les autorités ne se rendent compte qu'un phénomène étrange s'était produit.

Les parents de Max étaient des magiciens professionnels et avaient exécuté deux missions pour le MDAS, mais Max en avait désormais rempli *quatre*. Zavonne avait recruté Max pour ses facultés incroyables de contorsionniste et de maître de l'évasion, mais également parce qu'il était un excellent illusionniste. Il avait acquis ce talent en observant, puis en participant aux représentations de ses parents. Ses missions pour le MDAS avaient jusqu'à présent impliqué de voyager dans le disque dur d'un ordinateur, d'explorer une galaxie lointaine, de vaincre des créatures marines malfaisantes et d'affronter des momies ramenées à la vie.

À la vue du visage de Zavonne, Max ressentit un mélange de déception et d'excitation. *Bon sang, Zavonne, c'est seulement le troisième jour de mes vacances de Noël en Californie !* Puis, il se demanda : *quel genre de mission peut-elle bien avoir en tête pour moi cette fois-ci ?*

— Ces dernières années, commença Zavonne sans même lui dire bonjour, plusieurs explorateurs ont disparu dans une région retirée de l'Antarctique appelée le secteur de Bolt — en l'honneur de sir Travis Bolt, l'explorateur qui l'a découverte.

Des explorateurs portés disparus en Antarctique — géant, ou gelant, plutôt !

— Les autorités internationales responsables de la surveillance de cette partie du monde, qui est particulièrement inhospitalière, pensent que les explorateurs disparus sont morts d'hypothermie. Cependant, leurs corps n'ont jamais été retrouvés.

— Enterrés sous la neige ? proposa Max.

— C'est l'une des théories. Là-bas, les tempêtes de neige poussées par le vent peuvent se révéler violentes. Toutefois, selon les rumeurs, d'étranges créatures des neiges ont été aperçues à plusieurs reprises dans la région au fil des ans.

Des créatures des neiges ?

— Quoi, comme l'abominable homme des neiges? demanda Max avec un grand sourire.

Zavonne ignora son commentaire.

— Le MDAS est bien conscient qu'il ne s'agit que de rumeurs, mais il s'est toujours intéressé à cette zone.

De l'eau clapota sur la planche de surf de Max et il pagaya avec son bras droit pour s'éloigner d'une vague en approche.

— La station de recherche du secteur de Bolt héberge actuellement trois scientifiques. Le Dr Savalle Klosh et la Dre Marion Holroyd, tous deux experts, séjournent à la station dans le cadre d'un projet de surveillance du changement climatique d'une durée de cinq ans. La Dre Stella Jenkins n'est là que pour quelques mois pour un projet de recherche personnel. Il y a 10 jours, ils ont tous 3 remarqué que la température dans la zone avait chuté à un niveau *exceptionnellement* bas pour cette période de l'année. Pour l'instant, c'est l'été en Antarctique. Les journées sont très longues et comptent jusqu'à 20 heures de clarté. La température moyenne pour la saison est d'environ -8 °C, mais elle a chuté à -30 °C, une température plus courante durant les mois d'hiver. Les scientifiques ont prédit qu'elle atteindrait des valeurs normales dans les 24 heures suivantes, mais ce n'est *pas* le cas. Elle a au contraire continué à chuter. La nuit dernière, les scientifiques ont enregistré une température de -50 °C.

— D'après eux, quelle est la cause de cette forte baisse de température ?

— Ils croient, à l'instar des autorités de l'Antarctique, que des vents extrêmes en sont à l'origine, et ils ont prédit que les choses *s'arrangeraient* d'elles-mêmes d'ici peu. Mais au moment où nous parlons, la température continue de chuter. Si elle ne cesse pas de descendre et atteint -100 °C, nous connaîtrons une catastrophe écologique sans précédent. La glace s'étendra à des milliers de kilomètres au-delà de ses limites habituelles, ce qui aura des répercussions sur l'approvisionnement en eau et sur les récoltes. Bref, l'impact sur le reste du monde sera considérable.

Max promena son regard sur l'eau claire, le soleil ambre et le ciel turquoise. L'Antarctique était aux antipodes de sa situation actuelle, inondée de soleil.

— En réalité, continua Zavonne, la chute de température a déjà eu des conséquences.

— Lesquelles? demanda Max.

— Il y a deux nuits, répondit Zavonne, un navire de la marine britannique en exercice dans la région et qui naviguait à moins de quatre kilomètres de la station de recherche du secteur de Bolt a émis un signal de détresse. J'aimerais que tu y jettes un coup d'œil.

Le visage de Zavonne disparut de l'écran et fut remplacé par l'image floue d'un homme barbu et vêtu d'une veste bleu marine ornée de médailles. Il semblait vraiment terrifié.

— Je suis le capitaine Edward Hartnell du navire *Le Victorieux*, dit-il avec sérieux. Je lance un appel de détresse. Au cours des 10 dernières minutes, le navire s'est vu entouré par d'épaisses plaques de glace qui

se sont formées à une vitesse terrifiante. Il nous est impossible de naviguer dans quelque direction que ce soit et nous risquons de…

Soudain, l'écran s'éteignit.

Le visage de Zavonne réapparut.

— Ce message constitue le dernier contact établi avec le capitaine Hartnell, dit-elle. La marine a envoyé un hélicoptère de sauvetage sur place aussi vite que possible, mais ils n'ont relevé aucune trace des membres de l'équipage. La marine dépêche en ce moment un brise-glace sur les lieux pour dégager *Le Victorieux* et le remorquer à quai, où il sera inspecté. Ils croient que l'équipage du navire s'est probablement mis en route vers la station de recherche et a péri en chemin.

— Mais vous n'êtes pas d'accord? demanda Max.

Zavonne secoua lentement la tête.

— Nous sommes convaincus que les températures anormalement glaciales et la

disparition de l'équipage sont liées d'une manière sinistre, répondit-elle. Et c'est là, Max, que tu interviens.

Zavonne m'envoie en Antarctique !

— Je veux que tu te rendes là-bas sur-le-champ et a) que tu identifies la cause de cette chute de température, b) que tu t'assures que la température n'atteigne pas -100 °C et c) que tu découvres ce qui est arrivé à l'équipage du navire *Le Victorieux.*

Aucune pression, quoi !

— Tu seras basé à la station de recherche. Ta mission principale consistera à monter à bord du navire *Le Victorieux* et à chercher des indices sur l'endroit où se cache l'équipage avant l'arrivée du brise-glace.

— Euh, un dernier point, dit Max. Comment vais-je réussir à m'introduire dans la station? Je ne ressemble pas exactement à un expert du changement climatique chevronné, n'est-ce pas?

Zavonne fit la moue.

— Ta couverture consistera à dire que tu travailles sur un projet scolaire à propos du réchauffement climatique. Tu présenteras tes conclusions à un comité étudiant international. Les docteurs Klosh et Holroyd ne seront pas très emballés à l'idée qu'un enfant les suive partout, mais nous avons contacté la Dre Jenkins et ta visite ne la dérange pas. Il va sans dire qu'elle ignore absolument tout du MDAS et de nos activités, et il est vital que les choses restent ainsi.

— Jenkins, Klosh et Holroyd sont les seuls à la station de recherche? demanda Max.

— Non, répondit Zavonne. Un expert en survie de la télévision, Gruff Addison, est aussi stationné là-bas avec son caméraman, Jim Sweeney. Ils filment sa prochaine série.

Gruff Addison ? Le *fameux Gruff Addison ? Le type le plus génial de l'histoire de la télévision qui peut vivre pendant des semaines dans des grottes de neige glaciales, traverser des lacs gelés et soigner ses propres engelures ? Cet homme est une légende !*

Max était aux anges à l'idée de rencontrer son héros et voulait poser d'autres questions à Zavonne, mais il se souvint alors de quelque chose.

— Et pour mes gadgets ?

— Regagne ta chambre d'hôtel et attends des instructions supplémentaires, ordonna Zavonne.

Son visage disparut ensuite de l'écran.

Vingt minutes plus tard, Max était de retour dans sa chambre d'hôtel avec ses parents. Quelqu'un frappa à la porte. Max traversa la pièce à la hâte pour ouvrir. Un homme en combinaison de moto se tenait sur le seuil.

— Un colis pour Max Flash ? demanda-t-il en tendant une mallette argentée scintillante.

Max opina et signa le document de livraison. Une fois la porte fermée, il ouvrit la mallette. D'un côté se trouvaient un petit sac à dos tout-terrain, une combinaison de ski haut de gamme, des gants ultra-épais, des lunettes de soleil qui filtrent les rayons UV et une paire de lunettes de neige de qualité. Sa mère et son père l'observèrent sortir chaque objet pour l'examiner.

— Génial ! dit-il, le visage rayonnant.

L'autre partie de la mallette contenait trois enveloppes matelassées : une bleue, une verte et une rouge.

— Ouvre l'enveloppe bleue, ordonna la voix de Zavonne.

Max fit volte-face. L'écran de la télévision affichait tout à coup le visage de Zavonne.

Existe-t-il un endroit qu'elle ne peut pas atteindre ?

Il ouvrit l'enveloppe bleue et en sortit une paire de minuscules écouteurs noirs.

— Voici les écouteurs coupe-glace, expliqua Zavonne. Si tu as besoin de couper dans de la glace, place les deux coussinets d'oreille sur la surface, à environ 30 centimètres d'écart. Appuie sur les écouteurs et ils découperont un cercle de glace d'un mètre de diamètre. Ils fonctionneront tant que la glace ne dépasse pas 50 centimètres d'épaisseur.

Bravo, Zavonne !

— Maintenant, ouvre la verte, le somma-t-elle.

Max explora l'intérieur de l'enveloppe et en extirpa ce qui ressemblait à un paquet de gommes à mâcher à la menthe ordinaire.

— Voici le dégommeur-assommeur, dit Zavonne. Si tu en déchires l'extrémité, trois autres paquets se déploieront brusquement pour former un « pistolet » muni d'une gâchette en dessous. Ce « pistolet » tire des balles fracassantes qui assommeront tes adversaires pendant 10 secondes, ce qui te donnera le temps de réagir à la situation dans laquelle tu te trouveras. Tu disposes d'au maximum 12 munitions,

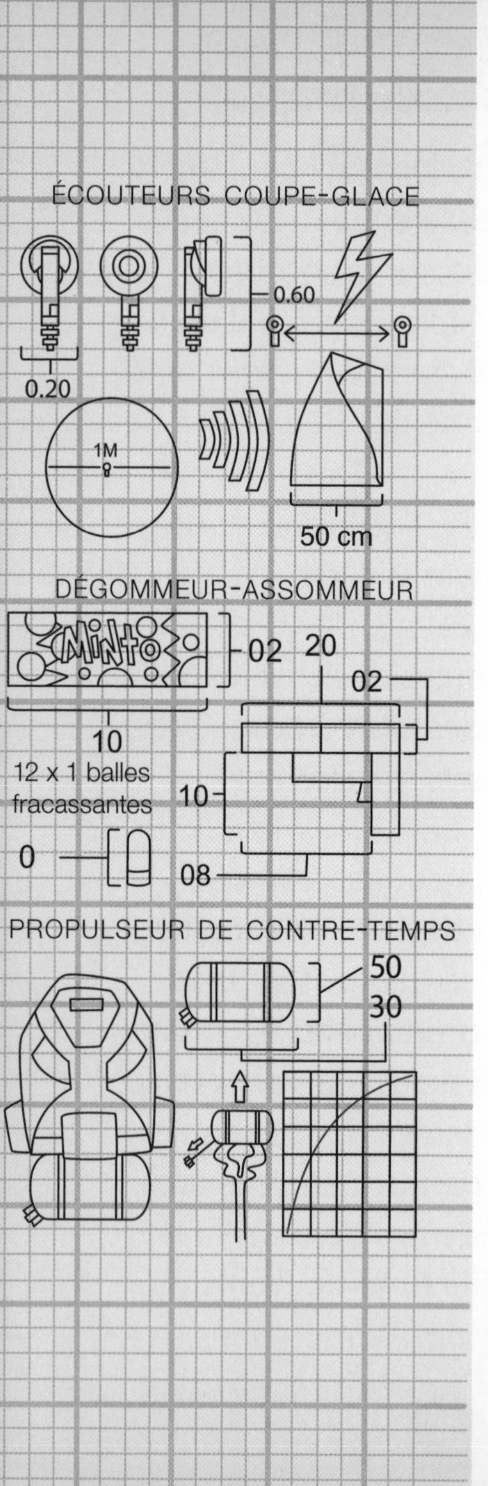

après quoi le pistolet deviendra inutilisable.

Un dégommeur ! Excellent !

Max n'attendit pas l'autorisation de Zavonne pour ouvrir l'enveloppe rouge. À l'intérieur, il découvrit ce qui ressemblait à un sac de couchage ultra-compact.

— Tu tiens là un propulseur de contre-temps, déclara Zavonne. Le propulseur peut être attaché à ton sac à dos comme un sac de couchage normal, mais il est équipé d'un moteur puissant approvisionné en carburant. Tire sur le petit morceau de plastique blanc et tu seras propulsé à 100 mètres dans les airs, mais à une hauteur maximale de 20 mètres.

Voler ? Super !

— Mais n'oublie pas, dit Zavonne.

— Je sais, je sais, répliqua Max. Je ne peux utiliser les gadgets qu'en cas d'extrême danger ou de danger de mort.

— Le sac à dos contient une carte qui indique la position de la station de recherche et du navire *Le Victorieux.*

— Alors, quand est-ce que je pars ? demanda Max.

— Il y a un petit aéroport à 20 kilomètres de ton hôtel, dit Zavonne. Un avion t'attend là-bas. Il te conduira jusqu'au Chili, d'où un hélicoptère t'emmènera au secteur de Bolt.

Le père de Max marcha jusqu'à la coiffeuse et saisit la clé de la voiture de location.

— L'Antarctique est un territoire dangereux et hostile, même quand tout va pour le mieux, l'avertit Zavonne. Il y a de fortes chances que tu doives affronter des forces terrifiantes inconnues. Et ce sera une course contre la montre. Je le répète, la température ne doit absolument PAS descendre à -100 °C.

Je suis prêt, pensa Max en examinant ses gadgets. Lorsqu'il leva les yeux, l'écran de télévision était éteint et Zavonne avait disparu.

— Sois extrêmement prudent, Max, dit sa mère, anxieuse, tandis qu'ils traversaient l'aire de décollage du minuscule aéroport pour rejoindre l'avion à quatre places. Max portait son sac à dos et son sac fourre-tout contenant sa combinaison de ski et ses vêtements pour temps froid.

— Prends soin de toi, dit son père. Il va faire vraiment, vraiment froid là-bas.

— Je pensais qu'il allait faire une chaleur torride, dit Max sur un ton sarcastique.

Son père lui lança un regard sévère.

— D'accord, promit Max, je serai extrêmement prudent.

Ses parents le serrèrent dans leurs bras en guise d'au revoir et Max se hâta jusqu'à l'avion. Le pilote du MDAS, un grand type à la mâchoire carrée, s'empara de son fourre-tout et le flanqua dans un compartiment de rangement. Dix minutes plus tard, Max vit ses parents lui faire signe du sol pendant que l'avion montait en flèche. Il inspira profondément.

Reviendrai-je en vie ou vais-je mourir de froid?

Le vol vers le Chili ne dura pas longtemps. Ils atterrirent dans un autre aéroport où les attendait un hélicoptère. Bien qu'il fît

chaud, Max enfila sa tenue de neige ; il en aurait bientôt besoin.

L'hélicoptère était incroyablement bruyant et Max dut porter des protections auditives, ce qui signifiait qu'il ne pouvait ni parler au pilote, ni écouter de la musique sur son lecteur mp3. Il contempla donc le spectacle par la fenêtre quand ils survolèrent d'abord le désert, puis l'océan, et finalement de gigantesques plaques de glace.

— Voilà la station de recherche du secteur de Bolt, cria la pilote en pointant du doigt trois massives structures rectangulaires rouges.

Elles étaient reliées entre elles par une série de tunnels transparents et étaient construites sur une plate-forme surélevée par de gigantesques pylônes en acier. En dessous des pylônes, au niveau du sol, reposait un grand cube gris, connecté à l'une des structures rouges par une longue échelle. Sur le toit de l'un des bâtiments trônait un imposant dôme. Trois éoliennes et des rangées de panneaux solaires occupaient le toit des deux autres.

— Je ne peux pas atterrir, donc tu vas devoir utiliser l'échelle, cria le pilote en appuyant sur un interrupteur. Un petit panneau s'ouvrit sur le côté de l'hélicoptère et laissa entrer une rafale d'air terriblement froid. Le pilote appuya sur un bouton et une échelle en métal jaillit de l'ouverture, suspendue au-dessus du sol recouvert de glace. Max jeta son fourre-tout hors de l'hélicoptère et vérifia que les sangles de son sac à dos étaient solidement attachées.

— Je descendrai aussi bas que possible, dit le pilote. Bonne chance.

Trente secondes plus tard, Max se laissa glisser du bord de l'hélicoptère et se mit à descendre l'échelle.

Tout autour de lui était d'une blancheur aveuglante : le sol, les montagnes à l'horizon… tout. Arrivé au dernier échelon, il vit une silhouette émerger de l'un des bâtiments rouges. Elle parcourut une passerelle et se dirigea vers lui. Max sauta à terre et ses pieds claquèrent sur le sol gelé. L'échelle remonta immédiatement dans l'hélicoptère, qui s'éloigna rapidement.

— Dre Stella Jenkins, se présenta la femme en souriant.

Elle tendit une main enveloppée d'un gant de ski pour serrer celle de Max.

— Rentrons.

La scientifique était beaucoup plus jeune que Max ne l'avait pensé. Elle avait de grands yeux bruns et un petit nez en bouton. Des mèches blondes dépassaient de son bonnet noir.

Max ramassa son fourre-tout et remonta ensuite la passerelle derrière Jenkins. Elle entra un code sur un panneau en acier sur le mur et une porte coulissa. Elle se referma derrière eux tandis qu'ils en franchissaient le seuil.

La première chose qui frappa Max fut le froid. Il s'était attendu à ce qu'il fasse beaucoup plus chaud à l'intérieur de la station, mais il ne ressentait pas une grande différence avec l'extérieur.

— Il ne fait pas un peu froid, ici? demanda-t-il.

Jenkins acquiesça.

— Je suis sûre que tu es au courant du problème de chute de température, répondit-elle. Eh bien, le système de chauffage de la station est également détraqué. Il ne pouvait pas choisir un meilleur moment, hein ? Nous avons beau le réparer, il tombe sans cesse en panne et nous n'arrivons pas à résoudre le problème.

Max étudia les environs. Il se trouvait dans un vaste laboratoire situé dans le premier bâtiment rouge. À sa droite se trouvait un poste de travail encombré de microscopes et d'éprouvettes. Des machines argentées scintillantes avec des cadrans noirs tapissaient le mur opposé de la pièce. À sa gauche s'alignait une rangée de thermomètres industriels gris de graduations diverses. Tous indiquaient -55 °C.

La température chute encore, mauvaise nouvelle !

Au milieu du laboratoire trônait une longue table en bois sur laquelle reposaient trois ordinateurs, ainsi que plusieurs blocs-notes, revues et documents imprimés.

— Nous n'avons pas de connexion Internet, ici, dit Jenkins. Par contre, nous disposons de matériel de communication par satellite.

Elle indiqua deux imposantes machines noires semblables à des lecteurs de DVD très lustrés, reliés à un fin microphone sophistiqué.

Au moins, nous ne sommes pas complètement coupés du reste du monde !

De l'autre côté de la pièce, Max repéra un vaste réseau de câbles de différentes

couleurs qui étaient débranchés. Jenkins suivit son regard.

— Une partie du matériel a récemment été dérobé, dit-elle.

— Ici ! s'exclama Max.

— Oui, plusieurs de nos thermomètres industriels. Étrange, hein ? dit Jenkins. Il y a une station de recherche un peu plus loin sur la côte, mais elle est à une bonne centaine de kilomètres d'ici. De toute façon, pourquoi voudraient-ils notre matériel ?

Jenkins entraîna Max par une porte au fond du laboratoire, puis le long d'un tunnel transparent qui menait à la seconde structure. La première salle était meublée de deux canapés, de trois fauteuils confortables, d'une étagère qui pliait sous le poids de volumes scientifiques et d'un poste de télévision.

— La salle de séjour est notre lieu de relaxation, expliqua Jenkins. Remarque, ajouta-t-elle en baissant la voix, Klosh et Holroyd ne sont pas exactement du genre à se détendre.

Max rigola : Jenkins était sympa. Il la suivit dans une petite cuisinette où se trouvait une longue table étroite entourée de tabourets.

— La salle à manger, annonça-t-elle. La nourriture ici est presque supportable, dit-elle avec un grand sourire, mais tu dois pouvoir manger rapidement.

Avant que Max ne puisse lui demander ce qu'elle voulait dire par là, ils continuèrent leur visite en pénétrant dans un autre couloir transparent. Ils étaient maintenant dans un corridor percé de trois portes de chaque côté.

— Les chambres, dit Jenkins. Petites, mais confortables.

Elle ouvrit la dernière porte sur la droite.

— Voilà la tienne.

Il y avait tout juste assez de place pour un lit et une étroite penderie, malgré la présence d'un petit appareil de chauffage provisoire dans le coin.

— Dépose tes affaires et viens faire la connaissance des autres, dit Jenkins. Ils sont sur le toit. Nous y ferons un saut pour dire rapidement bonjour.

Max laissa son fourre-tout tomber sur le sol. Il escalada ensuite une échelle en métal derrière Jenkins, au bout du couloir. Au sommet, ils se hissèrent par une trappe et sortirent sur le toit plat que Max avait vu de l'hélicoptère. Un homme corpulent au visage rond et avec une longue moustache et une femme mince aux yeux bleu pâle et aux courts cheveux gris coupés au carré étaient accroupis à côté d'une longue rangée de minuscules panneaux solaires individuels. Ils étaient en pleine conversation.

– Dr Klosh, Dre Holroyd, dit Jenkins, voici Max, le jeune homme dont je vous ai parlé. Il est venu observer mon travail pour son projet d'étudiant international.

Les scientifiques levèrent les yeux et Max leur adressa son sourire le plus charmeur.

– Bonjour Max, le salua le Dre Holroyd.

– Bonjour Max, le salua le Dr Klosh.

— Les docteurs Klosh et Holroyd ont conçu ces nouveaux panneaux solaires, expliqua Jenkins. Non seulement ils constituent une bonne source d'énergie, en particulier pendant l'été lorsque les journées comptent 20 heures de clarté, mais ils sont aussi excellents pour faire fondre la glace très rapidement. Comme tu peux l'imaginer, c'est extrêmement utile ici.

Les scientifiques étaient déjà retournés à leur occupation.

Merci pour l'accueil chaleureux !

— Ne t'inquiète pas pour eux, chuchota Jenkins. C'est leur manière d'être habituelle ; ils sont toujours comme ça.

Max aurait voulu interroger Klosh et Holroyd sur leur opinion concernant la baisse de température draconienne — après tout, c'étaient eux, les experts —, mais il sentit que ce n'était peut-être pas le bon moment. Jenkins rentrait déjà à l'intérieur. Tout en vérifiant que les scientifiques étaient toujours absorbés par leur discussion, Max se baissa vivement pour ramasser l'un des panneaux solaires. Il le mit dans son sac à dos.

On ne sait jamais quand cela pourra s'avérer utile !

— Gruff Addison est-il dans les parages? demanda-t-il à Jenkins plein d'espoir, une fois au bas de l'échelle en métal.

— Notre grande vedette de la télé, sourit Jenkins. Il est dehors avec Jim pour une séance de tournage. Tu es un de ses admirateurs?

— Plus ou moins, dit Max en s'efforçant de masquer sa déception.

Ils reprirent la direction du laboratoire.

— Bien, il faut que je me remette au travail, dit Jenkins. J'ai d'intéressants sédiments rocheux à examiner. Tu es libre de venir regarder.

— Euh, si ça ne vous dérange pas, j'aimerais tout de

suite entamer mon projet… vous savez, explorer la région.

En commençant par Le Victorieux *pour voir si je peux dénicher des indices sur la disparition de l'équipage.*

— Bien sûr, opina Jenkins.

Elle tendit le bras pour prendre quelques petits récipients en plastique qu'elle remit à Max.

— Recueille quelques échantillons de neige quand tu seras dehors, dit-elle. Nous les examinerons plus tard.

Max les enfouit dans l'une des poches de sa combinaison de ski. Jenkins fit coulisser un grand panneau sur l'un des murs du laboratoire, révélant une échelle qui conduisait au cube gris. Ils descendirent, et Max se retrouva dans une réserve spacieuse, remplie à craquer de matériel. Il repéra quatre motoneiges argentées scintillantes, plusieurs paires de skis, des vêtements pour les conditions climatiques extrêmes, des planches à neige, des pics à glace… pratiquement tout le nécessaire pour explorer une région reculée où règne un froid glacial.

Jenkins marcha jusqu'à une étagère.

— Tu préférerais quoi? demanda-t-elle. Des skis ou une planche à neige?

Max n'y réfléchit pas deux fois.

— Une planche à neige, répondit-il.

Il n'avait jamais fait de planche à neige auparavant, mais il était presque certain qu'il pourrait utiliser ses compétences en surf. Jenkins lui tendit une planche à neige bleue lustrée, une paire de bottes de ski brunes hyper résistantes et une paire de raquettes légères à fixer dessus.

— La planche à neige se plie en deux. Ainsi, tu peux la ranger dans ton sac à dos quand tu fais de l'escalade, expliqua Jenkins.

Dix minutes plus tard, Max avait positionné sa planche à neige sur une pente à côté de la station. Il tâta les poches de sa combinaison de ski et sentit ses gadgets blottis en sécurité.

— Ne t'aventure pas trop loin ! cria Jenkins en remontant l'échelle de la station.

— Non, non ! cria Max.

Il vérifia la carte que Zavonne lui avait donnée pour s'assurer qu'il connaissait le chemin jusqu'au navire *Le Victorieux*. Il baissa ensuite ses lunettes des neiges et s'élança sur la pente.

Wouhou !

Max avait déjà skié à plusieurs reprises, mais faire de la planche à neige était bien plus excitant ! Le trajet était plus cahoteux que sur des skis, mais c'était totalement exaltant et Max gagnait rapidement de la vitesse. Il tourna à gauche et à droite, s'habituant à la sensation de diriger la planche.

C'est super !

Il dépassa d'imposantes montagnes constituées de centaines d'étroites crevasses et d'énormes plaques de glace luisantes.

On dirait une autre planète – et je suis bien placé pour le savoir, puisque je suis allé sur d'autres planètes !

Il parcourut une profonde vallée à toute vitesse et atteignit le pied d'une énorme montagne quelques minutes plus tard. Il plia la planche à neige en deux et la mit sous son bras ; il en aurait à nouveau besoin bientôt.

La randonnée jusqu'au sommet de la montagne prit environ une demi-heure. Arrivé en haut, Max s'approcha du bord

pour contempler la vaste étendue de glace qui s'étirait à perte de vue en contrebas. *Le Victorieux* était immobilisé par l'étau de glace à une centaine de mètres du rivage.

Max fixa à nouveau ses pieds à la planche à neige et dévala l'autre versant de la montagne. Il s'arrêta lorsqu'il atteignit la côte et descendit de sa planche à neige. Il la rangea dans son sac à dos, qu'il planqua à côté d'un rocher recouvert de neige. Après avoir chaussé ses raquettes, il s'engagea avec précaution sur l'océan gelé et s'approcha lentement de l'énorme navire. Plus il approchait, plus il était ébahi par la taille immense du navire.

Il remarqua de petits hublots, qui paraissaient tous bien fermés, au moins 20 mètres au-dessus de lui.

Quel manque de considération de fermer toutes les entrées possibles !

Il contourna lentement le navire jusqu'à ce qu'il repère finalement un hublot très légèrement entrouvert. Max ôta ses raquettes, puis il s'agrippa à un boulon en métal qui dépassait pour se hisser en appuyant ses bottes sur le flanc du navire. Leur adhérence exceptionnelle tenait bon. Il s'étendit pour atteindre une autre prise et se hissa davantage. Quelques minutes plus tard, il était arrivé à hauteur du hublot.

Il tira sur la fenêtre pour voir s'il pouvait la forcer à s'ouvrir un peu plus, mais elle ne céda pas. Il réessaya à plusieurs reprises et parvint, lors de sa quatrième tentative, à créer une petite ouverture. Il inspira profondément et plaqua ses bras et ses épaules autant que possible contre son corps. Une fois que la partie supérieure de son corps fut compressée au point où elle n'avait que la moitié de son épaisseur habituelle, il força sa tête contre le hublot et entreprit très lentement de l'insérer par l'ouverture. Elle passa de justesse et Max sentit le châssis de métal s'enfoncer dans son crâne, mais une fois qu'il eut réussi à introduire sa tête, le reste de son corps suivit plutôt en douceur.

Passons maintenant à la recherche d'indices sur l'emplacement de l'équipage.

Alors que Max se redressait, il étudia la pièce dans laquelle il venait d'entrer. Elle contenait quatre couchettes – les quartiers des marins. La cabine était incroyablement ordonnée ; une grande malle était rangée sous chaque lit. Il sortit dans un couloir et entra dans la cabine suivante. Elle était en tous points semblable à la première.

Il regagna le couloir et se dirigea vers une large porte au bout. Il l'emprunta et monta une volée de marches qui le menèrent sur le pont. Le pont était très vaste et des gouvernails, des poulies et le gréement étalé occupaient sa surface. Des chaloupes de sauvetage étaient accrochées sur les côtés. Max regarda autour de lui.

Toujours aucun signe de vie.

Il traversa le pont d'un pas rapide et atteignit une double porte vitrée. Il l'ouvrit et se retrouva sur la passerelle de commandement. Il découvrit un tableau de bord central recouvert de centaines de boutons et de cadrans, un poste d'ordinateur, puis des espaces vides où il y avait dû en avoir d'autres, car des câbles dépassaient. Le regard de Max s'arrêta sur les câbles déconnectés. Il repensa au matériel manquant à la station de recherche. Était-ce l'œuvre des mêmes voleurs ? Et si oui, comment étaient-ils entrés ? Et quelles étaient leurs intentions ?

Il quitta la passerelle de commandement et se dirigea tout droit vers l'autre côté du pont. Après avoir descendu un escalier en colimaçon, il accéda à un couloir et s'arrêta brusquement.

Devant lui se trouvaient les vestiges d'une porte. Elle avait été fracassée en mille morceaux, maintenant éparpillés partout sur le sol. Max franchit la brèche en éclats et entra dans la pièce. Elle était quatre fois plus grande que les autres cabines.

C'est probablement la cabine du capitaine Hartnell, ou du moins, ça l'était…

L'endroit était un vrai dépotoir. Des tables étaient retournées, des chaises, réduites en pièces et le sol, parsemé de feuilles de papier. Un placard avait été déplacé contre la porte pour servir de barricade, mais il avait subi le même sort que la porte.

Tu parles d'une dévastation totale !

Le sol était parsemé de centaines de traces huileuses, principalement des empreintes de bottes, mais Max remarqua ensuite que certaines étaient beaucoup plus grosses que d'autres. Il posa son pied à côté de l'une d'elles ; il était trois fois plus petit. Pire encore, les remarquables empreintes appartenaient à des pieds, et chaque pied semblait compter sept orteils !

Était-ce donc ainsi que les choses s'étaient déroulées ? L'équipage avait-il été attaqué par des créatures géantes à sept orteils ? Le capitaine s'était-il barricadé dans cette pièce pour essayer de repousser ses assaillants ?

Max frissonna.

Se pourrait-il qu'une des créatures soit encore à bord?

Il sortit son appareil photo numérique et prit quelques clichés des empreintes de pieds géantes. Comme il ne semblait pas y avoir d'autres indices sur l'identité des attaquants, Max regagna les quartiers des marins à la hâte, se faufila par le hublot ouvert et se laissa délicatement glisser jusqu'au sol.

À la seconde où ses bottes entrèrent en contact avec la glace, un terrible craquement retentit. Au même moment, une plaque de glace de forme circulaire fut projetée dans les airs, créant un gros trou à une dizaine de mètres de là. Stupéfait, Max demeura coi devant le trou, son cœur battant la chamade. Il s'apprêtait à mettre ses raquettes lorsqu'un deuxième cercle de glace fut éjecté, créant un deuxième gros trou, beaucoup plus près de lui, cette fois-ci.

Sans hésiter une seconde, il se mit à courir.

CRAC ! Un autre trou apparut dans la glace, à moins de cinq mètres de Max. CRAC ! CRAC ! Deux de plus se formèrent, révélant l'océan glacial en dessous. Sans raquettes, la surface était encore plus dangereuse et glissante, et Max dut faire un effort surhumain pour ne pas perdre l'équilibre.

Max fuit vers l'endroit où il avait laissé son sac à dos. *Au moins, je sais que c'est là que je trouverai la terre ferme.* Tandis qu'il courait, de multiples trous éclatèrent tout autour de lui.

Il sauta, dérapa et fit des écarts pour les éviter ; c'était comme courir sous les balles d'un tireur isolé. Max avait 70 mètres à parcourir avant d'atteindre la côte, mais son pied droit dérapa et le jeune garçon tomba, glissant tout droit vers l'un des trous.

Nooooooooon !

Il planta sa botte gauche dans la glace et parvint à s'arrêter à quelques centimètres du trou. Il se releva avec peine et se remit à courir. La glace giclait désormais tout autour de lui et pleuvait sur son corps et sa tête. Alors que seulement 30 mètres le séparaient de la côte, une rangée colossale de trous s'ouvrit violemment juste devant lui.

On me bloque la route !

Son corps tout entier était crispé par la détermination tandis qu'il courait droit devant lui, prenant de la vitesse. Il entreprit ensuite le plus long et puissant saut qu'il pouvait exécuter. Tandis que son corps s'arquait dans les airs au-dessus de l'immense

trou, il baissa les yeux sur l'eau glaciale en dessous.

Si je tombe là-dedans, je suis fichu. Je dois y arriver !

À son incroyable soulagement, ses pieds claquèrent sur la terre ferme. Il se retourna pour regarder l'océan. La couche de glace entre lui et *Le Victorieux* était criblée de trous.

Il se tenait là, haletant, tandis que ses pensées se bousculaient dans sa tête. *Quelqu'un ou quelque chose ne se réjouit pas vraiment de mes investigations à bord du navire* Le Victorieux. *S'agit-il des créatures qui ont attaqué l'équipage ? Et qu'est-ce qui a percé tous ces trous dans la glace ?*

Max enfila son sac à dos. Pendant un instant, tout fut silencieux et tranquille, mais le calme ne dura pas longtemps. Soudain, Max entendit un craquement qui ne présageait rien de bon. Il se retourna pour voir *Le Victorieux* se libérer de sa prison de glace.

Les trous ont brisé la prise de la glace sur le navire !

Dans une effroyable plainte, *Le Victorieux* se mit à couler. Trente secondes plus tard, il avait disparu sous la surface de l'eau.

Je suppose que le brise-glace ne servira plus à rien, désormais.

Max baissa les yeux sur l'endroit où le navire s'était dressé. Il repensa aux empreintes de pieds à sept orteils dans les quartiers du capitaine. Il trouverait peut-être d'autres empreintes dans la neige pour le conduire à ce qui avait attaqué *Le Victorieux,* quoi que cela puisse être. Il se mit à longer la côte sur sa droite.

Tout en marchant, il scruta le sol. Malheureusement, il ne voyait rien d'autre que de la neige. Il s'arrêta après 500 mètres et retourna à son point de départ. Il partit par la gauche, cette fois-ci, mais ne trouva aucune empreinte.

Max secoua la tête. La température continuait de chuter et il avait besoin de pistes, et vite. Qu'avait dit Zavonne? *La température ne doit absolument PAS*

descendre à -100 °C. Il entreprit de gravir le versant de la montagne qui surplombait la côte. Une fois de plus, l'ascension ne se révéla pas aisée sans raquettes. Quand il atteignit enfin le sommet, il baissa les yeux sur la vallée qu'il avait traversée plus tôt dans la journée et sortit la planche à neige de son sac à dos.

Max posa la planche sur le sol et monta dessus, ajustant les fixations de ses pieds jusqu'à ce qu'il se sente à l'aise. C'est alors qu'il repéra quelque chose dans la neige. Il s'accroupit pour l'observer de plus près.

C'est ça ! Une empreinte à sept orteils. Et elle semble assez fraîche.

Max regarda autour de lui, mais il n'y avait aucun signe de vie. Il recueillit un peu de neige dans l'empreinte et la plaça dans l'un des récipients en plastique que Jenkins lui avait donnés. Il rangea le récipient dans une poche de sa combinaison de ski et contempla la vallée.

Les empreintes se succédaient. Max dévala la pente. Il avait suivi la piste sur une centaine de mètres lorsqu'il entendit un faible grondement provenir d'un endroit en hauteur, à sa gauche. Il leva les yeux et distingua juste les silhouettes de deux imposants personnages blancs au loin. Ils étaient bien trop grands pour être humains. Mais son regard se porta rapidement sur la masse de neige qui dévalait la vallée dans sa direction.

Impossible ! Une avalanche !

Max était déjà descendu trop bas pour regrimper jusqu'au sommet qu'il venait tout juste de quitter, et il ne parviendrait jamais à atteindre l'autre côté de la vallée. Il était pris au piège alors qu'une masse considérable de neige se dirigeait vers lui en balayant tout sur son passage.

Quelle ironie du sort que d'échapper à une mort certaine dans l'océan glacé seulement pour être enterré sous une avalanche !

Il transféra son poids d'une jambe à l'autre pour virer à droite et se pencha en avant pour accélérer.

Je ne vais jamais y arriver!

Max commença à sentir la panique l'envahir, mais il se souvint tout à coup de ses gadgets. Il accéda à son sac à dos et tira sur le petit morceau de plastique du propulseur de contre-temps.

Il a intérêt à fonctionner!

Le front de l'avalanche allait l'atteindre dans quelques secondes et progressait à une vitesse phénoménale, mais à l'instant où Max tira, un bruit sourd retentit et le jeune garçon fut soudain propulsé dans les airs. Une fraction de seconde plus tard, l'avalanche ensevelit la vallée en engloutissant tout sur son passage. Fendant les airs

à une vitesse incroyable, Max hurla de joie et de soulagement tandis qu'il survolait l'avalanche.

Après avoir parcouru une centaine de mètres, il retomba sur la crête d'une montagne. La planche à neige percuta le sol et Max se laissa glisser pendant quelques secondes avant de changer brusquement de direction pour s'arrêter.

Il observa en silence les derniers résidus de l'avalanche s'écraser dans la vallée. Le sentier qui sillonnait le centre de la vallée était désormais complètement enfoui sous la neige.

Je l'ai vraiment échappé belle !

Max scruta les arêtes de la montagne, à l'affût des imposants personnages repérés plus tôt, mais il ne vit aucun signe de leur présence. Il était persuadé que c'étaient les mêmes créatures qui avaient attaqué *Le Victorieux*. Et il était pratiquement certain qu'ils avaient prêté la main, ou la patte, au déclenchement de l'avalanche.

Max balaya une dernière fois la scène du regard avant de tourner les talons pour reprendre la route vers la station de recherche. Il était impatient d'examiner les échantillons de neige qu'il avait recueillis. Une fois rentré, Max laissa son sac à dos, ses bottes et sa planche à neige dans le cube gris qui faisait office de réserve, puis il se dirigea vers le laboratoire. Il observa les thermomètres : -59 °C. Max fronça les sourcils.

Comment diable vais-je arrêter la chute de température si rapide si j'ignore ce qui cause cette baisse?

Il n'y avait personne dans les parages. Max sortit donc le récipient en plastique de sa poche et vida l'échantillon de neige sur une lamelle de verre. Il la glissa sous un microscope sur le poste de travail et positionna son œil devant l'œilleton. Il le remarqua immédiatement : un poil blanc bien trop long et bien trop épais pour appartenir à un être humain.

Ce poil doit appartenir à l'une des créatures à sept orteils.

— Qu'avons-nous là ?

Max sursauta en entendant la voix de Jenkins. Il leva les yeux tandis qu'elle traversait le laboratoire.

— Euh, c'est juste un peu de neige, répondit-il.

— Tu as donc réussi à recueillir des échantillons ? demanda-t-elle. Laisse-moi jeter un œil.

— C'est bon, répondit Max un peu trop vite. Mais merci.

— Pas de problème, dit-elle, le regard légèrement intrigué.

Max ramassa l'échantillon de neige et le remit dans le récipient avant de le glisser dans sa poche.

— J'ai des données qui comparent la section de Bolt avec d'autres régions de l'Antarctique, dit Jenkins. Je pense qu'elles pourraient t'être utiles.

Max grogna intérieurement. Il n'avait pas le temps d'analyser des données, mais il ne pouvait pas continuellement refuser les offres de Jenkins sans éveiller ses soupçons. Il passa donc la demi-heure suivante à faire semblant de s'intéresser à des feuilles de calculs tout en surveillant les thermomètres, qui étaient descendus à -61 °C.

— Merci pour ces informations, dit Max finalement. Y a-t-il la moindre chance que je puisse tester les motoneiges ? Je n'ai jamais essayé d'en conduire une !

Il avait décidé que même si les planches à neige étaient très amusantes, une motoneige serait beaucoup plus rapide, en particulier en montée.

— Bien sûr, opina Jenkins.

Elle tendit la main vers un crochet sur le mur pour en décrocher une clé.

– Cette clé fonctionne sur toutes les motoneiges.

Max se hâta de descendre à la réserve. Il enclencha un interrupteur sur le mur et un volet roulant en acier qui s'étendait du sol au plafond s'ouvrit. Le jeune garçon s'installa ensuite sur l'une des motoneiges et tourna la clé. Le moteur gronda au démarrage. Max tordit la poignée de l'accélérateur du guidon. La machine franchit la sortie d'un bond et se retrouva sur la neige.

Magnifique !

Max tourna le guidon et la motoneige vira à gauche. Il tira le guidon d'un coup sec et glissa à droite. Il accéléra ensuite et le véhicule exécuta une rotation de 180°.

Ce truc est génial !

Il tourna de nouveau et s'apprêtait à effectuer une autre rotation lorsqu'une voix furieuse retentit dans l'air glacial.

– QUE DIABLE PENSES-TU ÊTRE EN TRAIN DE FAIRE ?

C'était le Dr Klosh.

Il se tenait à l'entrée de la réserve et le regardait, visiblement en colère.

— CES VÉHICULES NE DOIVENT ÊTRE UTILISÉS QUE LORS D'EXCURSIONS DE RECHERCHES, ET NON PAS POUR FAIRE DES CASCADES DIGNES DE FILMS !

La gorge de Max se serra. Il coupa le moteur.

— Désolé… j'étais juste en train de…

— Je suis sûr qu'il l'utilisera dans le cadre de recherches, l'interrompit une voix grave. Et puis, de toute manière, je pense que cette rotation de 180° valait la peine d'être vue !

Max reconnut instantanément la voix. Il fit volte-face pour apercevoir Gruff Addison, mesurant deux mètres, avec sa carrure trapue caractéristique, sa barbiche et ses yeux bleus perçants. À côté de lui se tenait un type tout aussi imposant avec une barbe

garnie et une fossette en forme de v sur le menton.

Sauvé par l'expert en survie numéro un de la terre !

Le Dr Klosh fronça les sourcils devant l'intervention de Gruff.

— Très bien, grommela-t-il. Mais plus de fantaisies, merci.

Il se retourna et remonta l'échelle vers le laboratoire.

Max mit pied à terre.

— Salut, dit la vedette de la télé avec un grand sourire. Je suis Gruff Addison.

Je sais qui tu es !

— Et voici mon caméraman, Jim Sweeney.

— Salut, dit Jim en hochant la tête.

— Tu es le gosse qui est venu ici pour observer Jenkins, c'est ça ? demanda Gruff.

— Oui, je suis Max. Merci d'être intervenu.

— Aucun souci, sourit Gruff. Klosh est parfois un peu trop sérieux.

Max rigola.

— Bon, dit Gruff. Jim et moi rentrons pour visionner ce que nous avons filmé cet après-midi ; ça te dit d'y jeter un œil ?

— Absolument ! acquiesça Max en essayant de ne pas paraître *trop* enthousiaste.

Max, Gruff et Jim étaient assis dans la salle de séjour, occupés à regarder une séquence incroyable sur le petit écran de lecture de la caméra de Jim. Tantôt, Gruff Addison bondissait de la face escarpée d'une montagne pour atterrir sur une plaque de glace, puis il disparaissait dans un grand tas de neige avant de réapparaître glissant au fond d'une crevasse dangereusement inclinée.

C'est incroyable, et j'ai la chance de visionner ces images avant qu'elles soient éditées avec le grand homme en personne !

Max avait un million de questions à poser à Gruff et fut déçu lorsque Jenkins passa la tête par la porte pour leur annoncer que le dîner était prêt.

Un peu plus tard, Max était assis à la table de la salle à manger avec les docteurs Jenkins, Klosh et Holroyd, en plus de Gruff et Jim. Klosh s'était manifestement calmé depuis son dernier accès de colère. Il n'y eut donc aucune mention des bêtises de Max sur la motoneige. Jenkins avait préparé le repas – une lasagne végétarienne.

Au début, Max fut interloqué par la vitesse à laquelle tout le monde engloutissait la nourriture, mais il comprit pourquoi quand il baissa les yeux sur son assiette. Sa portion était sortie du four bouillante, mais elle commençait déjà à geler sur les côtés.

C'est donc ça que voulait dire Jenkins lorsqu'elle m'a prévenu qu'il fallait pouvoir manger rapidement!

Il avait observé les thermomètres avant le dîner et la température n'était que de -65 °C désormais. Le jeune garçon avait

l'impression qu'il faisait presque tout aussi froid dans la station.

Le silence régna pendant un moment, puisque tout le monde mâchait. Max y vit l'occasion d'aller à la pêche aux informations.

— Vous voyez, ce problème de chute de température ? commença-t-il en s'adressant aux scientifiques. Vous soutenez toujours la théorie selon laquelle cette baisse est liée à un refroidissement causé par un vent exceptionnel ?

— C'est la *seule* possibilité, répondit Holroyd. Mais nous sommes consternés par la *vitesse* à laquelle la température chute.

— Je doute que l'effet de refroidissement provoqué par le vent soit la seule explication, dit Jenkins pensivement. Je pense qu'il est possible qu'il se passe quelque chose d'autre ; cette pensée fait un peu froid dans le dos.

Max avala sa salive. *A-t-elle aussi découvert quelque chose de bizarre dehors ?*

— Allez, les amis, ne paniquons pas, l'interrompit Gruff. Une température de -65 °C n'est pas la fin du monde. Une fois, je suis resté coincé pendant 48 heures sur une plateforme glacière à -85 °C. Bien sûr, j'ai failli mourir et il m'a fallu des semaines pour récupérer de la sensibilité dans les doigts et les orteils. Mais je suis toujours là, non ?

Max regarda l'explorateur de la télé avec admiration. *Ce type est génial !*

Après le dîner, Max aida Jenkins à débarrasser la table. Quand ils eurent terminé, elle passa un peu de temps à jouer avec le système de chauffage, qui était situé dans un placard dans le couloir, devant les chambres à coucher. Max l'observa utiliser un tournevis pour dévisser une série de cadrans et relever des leviers.

— Je l'ai réparé, annonça-t-elle après 10 minutes. Il devrait au moins fonctionner toute la nuit.

— Bien joué, acquiesça Max.

— Je vais dormir, dit Jenkins.

— Vraiment? demanda Max.

Il jeta un œil par la fenêtre. Il faisait toujours clair, mais lorsqu'il regarda sa montre, il vit qu'elle indiquait 22 h 10.

Jenkins rigola.

— Tu t'y habitueras.

Elle entra dans sa chambre et Max entra également dans la sienne.

Je ferais mieux de dormir un peu et d'être frais et dispos demain matin. Il FAUT que je trouve des pistes!

Il faisait trop froid pour se déshabiller, donc Max enfila son pyjama thermique par-dessus ses vêtements, puis il s'enfonça dans son sac de couchage en microfibres. Les aventures de la journée l'avaient complètement exténué et le sommeil le gagna rapidement.

Max se réveilla en sursaut. Il regarda sa montre : les chiffres clignotants indiquaient 3 h 20. Dehors dans le couloir, il percevait un léger tapotement. Il se retourna et essaya de se rendormir, mais le tapotement l'en empêchait. Il quitta donc son sac de couchage et sortit dans le couloir pour voir ce qui se passait. Gruff se tenait devant le placard du système de chauffage, le dos tourné à Max.

— Tout va bien ? demanda Max.

Gruff sursauta sous l'effet de la surprise et fit volte-face.

— Oh, salut, Max, dit-il. Tu m'as fait peur.

— Désolé, s'excusa Max. Qu'est-ce que vous faites ?

— C'est le chauffage. Je sais que Jenkins l'a réparé tout à l'heure, mais il est de nouveau tombé en panne.

— Mais elle a dit qu'il devrait au moins durer toute la nuit, dit Max.

— Elle l'a dit ? dit Gruff. Eh bien, il est manifestement en plus mauvais état qu'elle ne le pense ! Je parie que le tapotement t'a réveillé, c'est ça ?

Max opina.

— Eh bien, je n'ai pas réussi à le réparer, cette fois-ci. On s'habitue à la privation quand on séjourne ici.

— J'imagine, dit Max.

— Une fois, j'ai dû m'enterrer moi-même dans un tunnel de glace pour éviter une violente tempête de neige, rigola Gruff. J'ai bien dû y rester pendant au moins 12 heures. Je pensais que j'allais mourir de froid et j'ai veillé à me garder l'esprit occupé en pensant aux courses de traîneaux auxquelles j'ai participé !

Ce type est plus qu'une légende !

— J'ai été impressionné par la façon dont tu as manié la motoneige, hier, dit Gruff. Et tout le monde n'est pas capable de supporter ces conditions, mais apparemment, tu t'en sors plutôt bien. Tu pourrais réussir dans l'industrie télévisuelle de la survie !

Moi ? Devenir comme Gruff ? Sensass !

— Bon, dit Gruff, je retourne au lit.

— Cool, dit Max.

Max lui fit un signe de tête en guise d'au revoir et regagna sa chambre.

Il s'enfonça dans son sac de couchage et dormit profondément pendant les quelques heures qui suivirent, rêvant qu'il était un éminent expert de la survie et avait sa propre émission télé.

Quand il se leva, il trouva Jenkins dans la cuisine en train de préparer le petit déjeuner.

— Je n'arrive pas à croire que le chauffage s'est arrêté pendant la nuit, se plaignit-elle.

— Je sais, approuva Max. Gruff a essayé de le réparer, mais il n'a pas réussi. Et pourquoi ne pas demander à Klosh ou Holroyd ?

— Ils sont déjà partis sur le terrain, dit Jenkins.

À ce moment-là, Jim traversa la cuisine.

— Vous voulez un petit déjeuner ? demanda Max.

— Je ne peux pas traîner, dit Jim. Gruff et moi partons filmer dans une gorge. Il va effectuer quelques sauts sur glace en chute libre !

Jim sortit une petite fiole remplie d'une sorte de liquide vert de sa poche. Il la porta à sa bouche et fit la grimace en la buvant d'une traite.

— C'est quoi ? demanda Max. Une sorte de boisson énergisante pour les conditions climatiques extrêmes ?

— Ouais, un truc du genre, répondit Jim en sortant. À plus tard.

Max se prépara un bol de céréales et l'engloutit avant que le lait ne gèle.

— Viens jeter un œil à une séquence du niveau de neige enregistrée par les caméras du dôme d'observation, dit Jenkins une fois qu'il eut fini de manger.

Max soupira intérieurement.

Il faut absolument que je sorte d'ici et que je continue mes recherches.

— Euh, d'accord, répondit-il avec hésitation.

On accédait au dôme d'observation par une échelle. Il contenait des tas de téléscopes de différentes tailles, mais Jenkins insista pour visionner une séquence préenregistrée des niveaux de neige dans les environs. Cette vidéo s'avéra des plus ennuyeuses. Jenkins finit par aller préparer des boissons chaudes et Max se retrouva seul.

Il marcha jusqu'au plus grand télescope et jeta un œil par l'oculaire. Dehors, un vent s'était levé et commençait à faire voler de la neige dans tous les sens. Soudain, à travers la neige, Max aperçut deux formes. Là, à moins de 100 mètres de la station, se tenaient deux énormes bêtes. Elles faisaient au moins deux mètres de haut et leurs corps étaient recouverts d'un épais pelage de fourrure blanche. Leurs immenses yeux étaient cramoisis et enfoncés profondément dans leurs orbites. Leurs dents semblaient aussi acérées que des poignards, et leurs pieds avaient sept orteils.

Max descendit l'échelle à toute vitesse et galopa jusqu'au laboratoire, mais alors qu'il empruntait le couloir devant la cuisine, il fonça dans Jenkins. Les deux tasses bouillantes faillirent lui échapper des mains.

— Où vas-tu? demanda-t-elle, perplexe.

– Nulle part, répondit-il. J'ai juste besoin… d'un peu d'air frais.

Max s'empara de la clé de la motoneige dans le laboratoire.

Ensuite, il fila à la réserve, prit son sac à dos et ouvrit le volet roulant en acier. Il bondit sur le véhicule le plus proche et démarra le moteur.

Au son de la motoneige, les deux créatures des neiges se retournèrent et partirent en courant.

Elles ont peur !

Les créatures avaient 100 mètres d'avance sur lui et elles couraient vite, mais elles ne feraient pas le poids contre une motoneige.

Le vent hurlait et la neige tournoyait autour de Max. Il n'était pas allé loin qu'il entendit soudain un vrombissement. Il regarda derrière lui. C'était Jenkins sur une motoneige ! Sa curiosité avait visiblement pris le dessus. Elle le rattrapait rapidement.

Catastrophe ! Elle va voir les créatures, paniquer et ma couverture sera grillée !

Max faisait face à un atroce dilemme : devait-il faire demi-tour pour l'empêcher de voir les créatures des neiges ou devait-il continuer à les traquer? Elles constituaient une piste trop précieuse, donc il décida d'accélérer, espérant semer Jenkins dans la tempête de neige.

Devant lui, les créatures disparurent derrière une haute crête. Quelques secondes plus tard, la motoneige de Max survola la crête. Elle s'écrasa de l'autre côté avec une telle force que le choc fit tomber le jeune garçon. Le véhicule s'arrêta en dérapant à une courte distance de là et Max, bien qu'étourdi, se releva. Il se tenait sur un vaste plateau verglacé et là, à moins de 10 mètres de lui, se tenait un groupe de *6* créatures des neiges, dont les 2 qui l'avaient conduit ici. Mais elles ne semblaient plus avoir peur. Elles avaient l'air menaçant et dangereux. L'une des créatures brandit les poings en l'air et laissa échapper un rugissement sourd et perçant.

Comment ai-je pu être si stupide ? Les créatures des neiges voulaient que je les suive ! Elles m'ont tendu un piège !

L'instant d'après, Jenkins survola à son tour la crête. Elle aussi fut éjectée de sa motoneige, qui s'écrasa dans le véhicule de Max avant de s'arrêter. Elle se leva péniblement.

— Courez ! cria Max.

Mais c'était trop tard, Jenkins avait aperçu les six créatures des neiges.

— Q-q-que sont-elles ? demanda-t-elle d'une voix tremblotante.

Mais Max n'eut pas le temps de lui expliquer, car les créatures chargèrent à cet instant même. Jenkins hurla et resta figée sur place. Max agit immédiatement. Il sortit son dégommeur-assommeur et en déchira l'extrémité. Tout à coup, le paquet de gommes à mâcher se transforma en une arme lustrée. Il pressa fermement la détente. Six balles en jaillirent et envoyèrent les créatures des neiges valser en arrière.

Max se dirigea vers les motoneiges en tirant Jenkins derrière lui, mais les créatures s'étaient relevées et commencèrent de nouveau à se rapprocher d'eux. Il tira encore à plusieurs reprises, fendant l'air avec son pistolet et projetant des balles parmi les créatures, qui furent assommées et désorientées. Max et Jenkins gagnèrent ainsi quelques précieuses secondes pour atteindre leurs véhicules.

Max tourna la clé de contact et tordit la poignée de l'accélérateur. La motoneige démarra en vrombissant et se propulsa en avant. Après 10 mètres, Max jeta un rapide coup d'œil autour de lui pour s'assurer que Jenkins le suivait. Mais ce n'était pas le cas.

Pour une raison inconnue, sa machine n'avait pas démarré, et les six créatures se précipitaient vers elle. Max fit demi-tour et appuya sur la gâchette du dégommeur ; rien. Il avait utilisé les 12 munitions !

Il ne lui restait qu'une chose à faire. Il sollicita l'accélérateur et se cramponna comme un fou lorsque sa motoneige décolla. Jenkins comprit ce qu'il faisait et bondit hors du chemin. Les créatures ne réagirent pas aussi vite. La machine de Max fonça en plein dans le tas et les projeta dans tous les sens.

— MONTEZ ! cria Max en tendant la main.

Jenkins lui attrapa la main et enfourcha la motoneige. Max serra les dents lorsque le véhicule se propulsa en avant.

— ILS NOUS SUIVENT ! cria Jenkins.

Il regarda derrière lui et constata que les créatures les rattrapaient. La situation était déjà assez catastrophique comme ça, mais Max entendit un craquement aigu et aperçut une fissure dans la glace un peu plus loin. Le sol se fendait en deux ! S'ils n'agissaient pas rapidement, Max et Jenkins se retrouveraient coincés du mauvais côté de

la crevasse – à la merci des créatures des neiges !

Et le trou s'agrandissait chaque seconde.

– PLUS VITE ! cria Jenkins, qui regarda derrière elle, prise de panique.

Max tordit la poignée à fond, accélérant ainsi vers le trou toujours plus grand. Il percevait le martèlement des pattes des créatures sur le sol derrière lui. La motoneige allait désormais si vite que l'avant ne touchait plus le sol. Max ferma les yeux lorsqu'elle survola la profonde crevasse.

S'il te plaît, réussis ! S'il te plaît, réussis !

Tandis que la motoneige commençait à descendre, Max ouvrit l'œil droit. À son immense soulagement, il constata qu'ils étaient sur le point d'atterrir de l'autre côté.

– NOUS AVONS RÉUSSI ! cria-t-il sur un ton triomphant en se retournant pour voir Jenkins au moment où le véhicule percutait le sol.

Mais à sa grande horreur, le siège derrière lui était vide.

Une puissante tempête de neige faisait désormais rage, et Max parvint tout juste à distinguer Jenkins de l'autre côté de la crevasse. Les créatures des neiges étaient en train de l'emmener de force.

– NOOOOOOOOOOON ! hurla Max en appuyant à fond sur les freins.

La motoneige zigzagua violemment et Max dut recourir à chaque once de sa force pour l'orienter vers la crevasse. Il sollicita l'accélérateur avec l'intention de survoler le trou en sens inverse pour rejoindre Jenkins et ses ravisseurs, mais le véhicule émit un sifflement et refusa de prendre assez de vitesse pour se propulser au-dessus. Il avait dû prendre un mauvais coup durant l'atterrissage, ce qui avait altéré sa puissance. Max frappa sur le guidon avec frustration et fureur.

Zavonne va me tuer. J'ai grillé ma couverture et j'ai laissé une scientifique se faire enlever par des créatures des neiges !

Max longea le bord de la crevasse aussi vite que le lui permettait sa motoneige, mais il n'y avait pas de point d'intersection entre les deux côtés du gouffre et plus aucun signe de Jenkins.

Après deux heures de recherche, c'est un Max Flash exténué et mort de froid qui reprit finalement le chemin de la station. Les thermomètres furent les premières choses qu'il vit à son entrée dans le laboratoire. Ils indiquaient -84 °C.

La chute de température progresse rapidement vers -100 °C, et en plus d'essayer d'empêcher que cela se produise, je dois désormais aussi secourir Jenkins, sans parler de découvrir ce qui est arrivé à l'équipage du navire Le Victorieux.

Il se rendit à la salle de séjour, essayant frénétiquement de peser le pour et le contre d'une prise de contact avec les services d'urgence grâce au matériel de communication par satellite. D'un côté, il avait sérieusement besoin d'aide, mais de l'autre, il ne savait pas si on le prendrait au sérieux quand il signalerait l'enlèvement de Jenkins par des créatures des neiges à sept orteils. Il entra dans le laboratoire plongé dans ses pensées, mais au moment où il parvenait au matériel de communication par satellite, Gruff entra dans la pièce.

— Tu as une mine affreuse, dit Gruff. Que s'est-il passé ?

Max s'arrêta et s'appuya contre l'un des plans de travail.

Gruff peut peut-être m'aider. Il connaît ce terrain mieux que quiconque.

— C'est la Dre Jenkins, lui confia Max discrètement. Elle n'est plus là.

— Plus là ? demanda Gruff. Tu veux dire quoi par « plus là » ?

Max marqua une courte pause.

Gruff me croira-t-il ?

Il poussa un profond soupir.

— Nous avons été attaqués, répondit-il. Par ces... créatures des neiges. Ils l'ont emmenée.

— Des créatures des neiges ?

Gruff haussa les sourcils. Il jeta un œil vers la porte pour vérifier qu'ils étaient seuls.

— Je peux peut-être t'aider.

Max sentit son courage se ranimer un peu.

— Vraiment ?

— J'ai vu des choses étranges dehors, dans la neige, chuchota Gruff. Jim et moi avons une fois été attaqués par ce lézard des glaces géant, mais il n'est mentionné dans aucun livre sur la faune sauvage. Et un croisement entre un ours polaire et un lion a un jour essayé de me dévorer. Il y a d'étranges créatures, dehors. Je ne le crie pas sur tous les toits parce que tout le monde penserait que je suis fou. Mais il y a des choses qui ne peuvent simplement pas être expliquées… tu vois ce que je veux dire ?

Max opina. *Que peut bien savoir Gruff?*

— Peu importe, continua Gruff. Quand nous étions en train de filmer tout à l'heure, nous avons découvert l'entrée d'une sorte de caverne de glace. Elle n'avait pas l'air naturel — c'était comme si quelqu'un l'avait *construite*. Et devine quoi ? Nous avons également relevé d'étranges empreintes de pieds à sept orteils par terre, près de l'entrée.

Max se tenait droit comme un piquet. *Une caverne de glace ? Est-ce possible que Jenkins soit là-bas ? Et qu'en est-il de l'équipage du navire* Le Victorieux ?

— Et donc vous êtes entrés ? demanda Max.

— Nous n'avions pas le matériel adéquat avec nous, dit Gruff. Mais nous y retournons. Pourquoi ne viendrais-tu pas avec nous ? C'est peut-être là que Jenkins a été emmenée. Et n'aie pas peur d'être déchiqueté par ces créatures, je peux tout affronter dehors.

Max fronça les sourcils.

— Je vous accompagne, ça ne fait aucun doute, mais je pense que nous devrions d'abord contacter les services d'urgence au cas où nous aurions besoin de renforts.

Gruff hocha la tête.

— Si ces étranges créatures la détiennent réellement, l'intervention des services d'urgence pourrait faire empirer les choses. Après tout, ils n'ont aucune expérience avec des choses pareilles. Ils pourraient la mettre encore *plus* en danger.

Max se frotta les yeux, essayant de prendre la bonne décision.

— D'accord, acquiesça-t-il, nous allons jeter un œil à la caverne maintenant. Mais si Jenkins n'est pas là, nous rentrons directement pour prévenir les services de secours.

— Certainement, opina Gruff. Maintenant, partons !

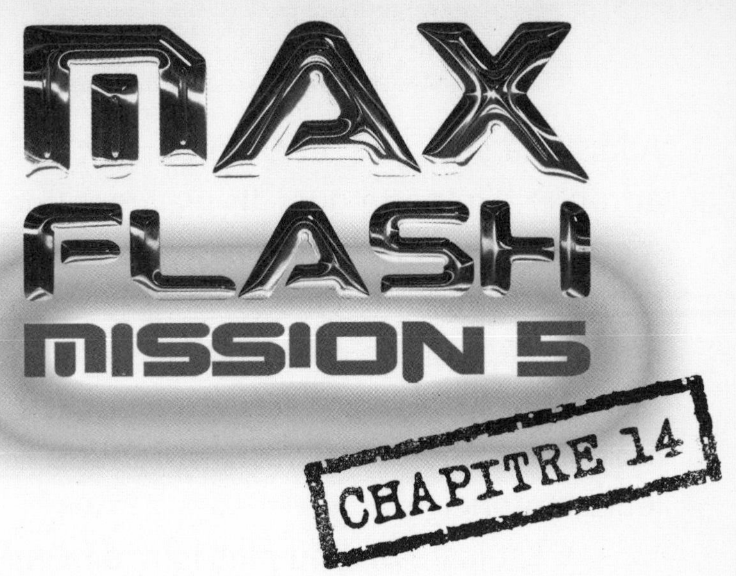

Quelques minutes plus tard, Max était avec Gruff et Jim en bas, dans la réserve. La tempête de neige avait fini par s'apaiser et il régnait un calme inquiétant. Jim plaçait du matériel de tournage dans un grand sac à dos pendant que Max et Gruff remplissaient les réservoirs des trois motoneiges.

Lorsqu'ils se mirent en route, Max scruta le paysage nerveusement, s'attendant à voir resurgir plusieurs créatures des neiges, mais sa détermination à secourir Jenkins l'immunisait contre la peur. En plus, il avait Gruff

Addison à ses côtés, et Gruff pouvait affronter n'importe quoi. Ils gravirent une montagne, puis longèrent la gorge où Gruff et Jim avaient filmé plus tôt dans la journée. Après une quinzaine de minutes, Gruff adressa un signe de bras à Jim et à Max. Ils se garèrent et descendirent de leurs motoneiges.

— C'est juste un peu plus loin, dit Gruff en lançant un regard encourageant à Max. Ne t'inquiète pas. Je te parie que nous allons la retrouver.

Ils poursuivirent à pied pendant une vingtaine de mètres, puis Gruff s'arrêta.

— Par ici, dit-il en montrant une arcade taillée dans la paroi de la falaise.

Max l'étudia scrupuleusement. Gruff avait raison : la finition était trop nette pour être naturelle. Avec le froid extrême, une partie de l'entrée avait déjà gelé.

Max se souvint du panneau solaire qui faisait fondre la glace et qu'il avait pris sur le toit de la station de recherche. Il fouilla son sac à dos, mais Gruff avait déjà sorti un pic à glace. Il le fracassa contre la surface et la glace se brisa en éclats qui retombèrent à l'intérieur de la caverne.

— Allons-y, dit-il en replaçant le pic dans son sac et en franchissant le trou d'un pas assuré.

Max et Jim le suivirent de près. Ils se retrouvèrent tous trois dans un court tunnel qui menait en haut d'un escalier de glace. Au-dessus d'eux pendaient de gigantesques stalactites pointues. La lumière du soleil pénétrait la caverne par de minuscules trous dans le plafond,

donnant à l'endroit une lueur bleue qui faisait froid dans le dos.

— Ouah ! dit Max, le souffle coupé de stupéfaction. C'est quoi, cet endroit ?

Il se tourna vers Gruff et Jim, qui semblaient tout aussi abasourdis.

— Je n'en ai aucune idée, répondit Gruff. Mais nous allons le découvrir.

Ils continuèrent de marcher et descendirent l'escalier. En bas, ils découvrirent trois entrées de tunnels.

Max inspira profondément.

— Laquelle devrions-nous prendre ? demanda-t-il.

Gruff s'apprêtait à répondre lorsqu'un profond hurlement à glacer le sang retentit. Il venait du tunnel de droite et fut suivi par un martèlement de pieds.

Les créatures des neiges !

— SÉPARONS-NOUS ! ordonna Gruff, optant pour le tunnel de droite. Jim, prends le tunnel de gauche et Max, celui du milieu !

Max était sur le point de contester sa stratégie (Gruff allait-il vraiment affronter les créatures des neiges seul ?), mais c'était lui, l'expert en survie. Jim s'engouffra dans le tunnel de gauche et Max prit celui du milieu.

Le tunnel bifurquait, puis descendait abruptement.

Max perdit l'équilibre. Il tomba sur le dos et dévala la pente comme une fusée.

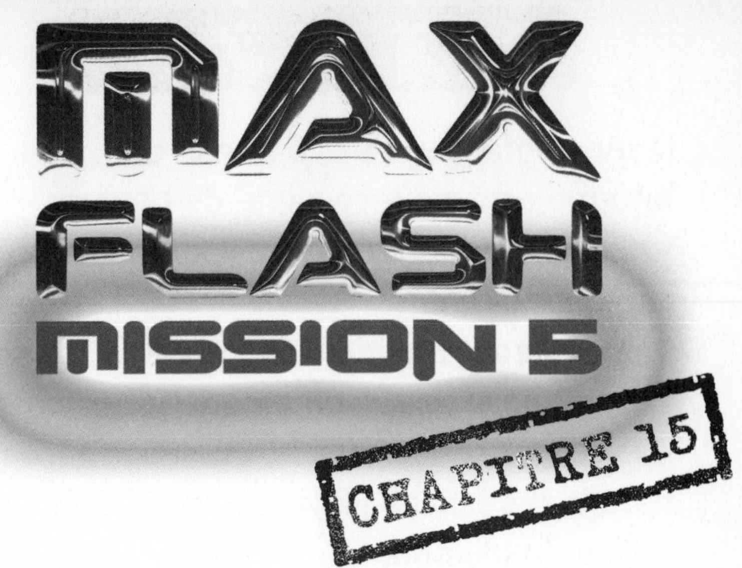

Max dégringola la pente en rebondissant sur les solides murs de glace pendant encore une centaine de mètres. Au bout du tunnel, il déboula dans un couloir. Il n'y avait aucun signe des deux autres tunnels, ni de Gruff et Jim. Devant lui se dressait une haute arcade. Il s'avança à pas de loup et aventura un tout petit peu la tête par l'ouverture.

Le spectacle qu'il avait sous les yeux lui coupa le souffle. Il contemplait une salle circulaire colossale sculptée entièrement dans la glace.

Au centre de la pièce trônait une énorme console recouverte de boutons rouges clignotants, de cadrans et d'interrupteurs argentés.

Une large cascade de verre de 10 mètres de haut naissait au sommet de la console. À la source de la cascade, un nuage gazeux flottait et s'échappait par un grand trou au milieu du plafond.

En regardant à droite, Max remarqua une série de grands blocs de glace disposés dans des niches enfoncées dans un mur de la pièce en demi-cercle. Un tuyau rouge émergeait au bout de chaque bloc de glace et serpentait sur le sol avant de disparaître dans un panneau, au pied de la console centrale.

Max voyait des formes sombres dans les blocs, mais il ne parvenait pas à distinguer de quoi il s'agissait. Il les compta rapidement. Il y en avait 30. Vingt-neuf renfermaient des formes ; un était vide.

Max regarda à sa gauche et vit un assortiment de thermomètres industriels –

identiques en tous points à ceux de la station de recherche.

C'est donc là qu'était le matériel volé.

La gorge de Max se serra lorsqu'il jeta un œil aux thermomètres. Ils indiquaient tous -94 °C.

Ça doit être ici que la température est manipulée. Mais comment ça fonctionne, exactement?

Max leva les yeux. La salle était surplombée par un balcon qui faisait tout le tour de la pièce. Des terminaux d'ordinateur identiques à ceux à bord du navire *Le Victorieux* étaient perchés sur des postes de travail. Même s'il n'avait noté aucun signe des créatures des neiges, Max arpenta le côté droit de la pièce en restant sur ses gardes. Une fois arrivé devant les blocs de glace, le jeune garçon se figea d'horreur et sa gorge se noua.

Dans chaque bloc de glace se trouvait un humain !

Au début, Max pensa qu'ils étaient tous morts, mais en regardant de plus près, il constata que, bien que les corps fussent parfaitement immobiles, leurs yeux bougeaient d'un côté à l'autre. C'est alors qu'il repéra un visage connu : Edward Hartnell, le capitaine du navire *Le Victorieux*. Il le reconnut grâce au signal de détresse que Zavonne lui avait montré. Max promena son regard sur la rangée de blocs de glace et vit de nombreux hommes vêtus d'uniformes de la marine : l'équipage du navire ! Les autres prisonniers portaient des tenues d'explorateurs, et dans le vingt-neuvième bloc se trouvait Stella Jenkins !

Le cerveau de Max travaillait à plein régime tandis qu'il s'efforçait de comprendre pourquoi ces gens étaient gardés prisonniers dans des blocs de glace. *Les créatures des neiges conduisent-elles une sorte d'expérience grotesque ?* Mais le cours de ses pensées fut soudain interrompu lorsqu'il sentit une légère tape sur l'épaule. Il sursauta de peur et fit volte-face, s'attendant à être attaqué par une créature des neiges.

C'était Gruff.

Max poussa un énorme soupir de soulagement.

— Vous aviez raison, chuchota-t-il. Jenkins est ici et elle n'est pas la seule prisonnière. Sortons-les de là et essayons de découvrir le fin fond de l'histoire avant que la température n'atteigne -100 °C.

Gruff ne bougea pas et ne dit rien.

— ALLEZ ! siffla Max d'un ton insistant. Sortons-les !

Gruff demeura immobile et silencieux.

— QU'EST-CE QUE VOUS ATTENDEZ?

Gruff sortit une petite fiole de sa poche. Elle était remplie du même liquide vert que celui que Jim avait bu devant Max, plus tôt dans la journée. Il la vida d'une traite.

Et puis quelque chose d'étrange se produisit. De la fourrure blanche commença à pousser sur le

visage de Gruff. Cette fourrure recouvrit rapidement ses mains, qui se transformèrent en pattes munies de longues griffes recourbées. Son corps tout entier parut grandir, puis ses pieds, poilus et à sept orteils, firent exploser ses chaussures. Ses yeux s'enfoncèrent dans leurs orbites et prirent une profonde nuance cramoisie avec des pupilles noires dilatées.

— *Impossible !* s'exclama Max horrifié, quand il comprit ce à quoi il assistait.

Il essaya de s'éloigner, mais la patte de Gruff s'avança à la vitesse de l'éclair et l'attrapa avec une poigne d'acier.

— LÂCHEZ-MOI ! cria Max en se débattant comme un forcené tandis qu'il dévisageait avec horreur le « nouveau » Gruff.

— Nous avons commencé à te surveiller à la seconde même où tu as visité *Le Victorieux,* dit Gruff d'une voix grave, gutturale et pleine de hargne.

Max pouvait sentir son haleine chaude et salée. La créature des neiges approcha son visage de celui du jeune garçon ; ses yeux cramoisis lui lançaient des éclairs.

— C'est donc vous qui avez percé ces trous dans la glace qui m'ont presque tué ! dit Max.

— Ces explosifs à placer sous la glace que nous avons volés sur *Le Victorieux* ont leur utilité, grommela Gruff. Mais ils n'ont manifestement pas suffi pour nous débarrasser de toi.

— Et l'avalanche… marmonna Max.

— Encore une fois, tu as eu de la chance, siffla Gruff.

— Qu'est-ce que vous faites avec tous ces gens ? demanda Max, alors que Gruff le scrutait de son regard brillant.

Il força Max à avancer jusqu'à ce qu'ils ne soient plus qu'à quelques mètres des blocs de glace. À mesure qu'ils approchaient, Max vit les humains emprisonnés de beaucoup plus près. Leurs visages étaient si pâles qu'ils étaient presque transparents.

Chaque prisonnier portait une sorte de masque relié à un tuyau rouge et à un tuyau bleu. Max remarqua que le bleu pénétrait dans chaque bloc de glace par le dessus. Gruff suivit son regard et rigola – un ricanement strident et grinçant.

– Oh oui, *bien sûr* que nous les nourrissons. Ces tuyaux bleus fournissent juste assez de nutriments pour les garder en vie, et leurs corps sont maintenus exactement à la bonne température pour ne pas les tuer.

– Pourquoi gardez-vous des humains vivants dans des blocs de glace ? cria Max en se débattant de plus belle.

Gruff resserra son étreinte.

– Eh bien, vu que notre plan touche à sa fin, je suppose qu'il n'y a aucun mal à te le dire. Nous avons besoin de leur dioxyde de carbone.

Le regard de Max était rivé sur les tuyaux rouges qui sortaient au bout des blocs de glace et menaient jusqu'à la console centrale.

— Pour atteindre notre but, nous devons recueillir le dioxyde de carbone rejeté par les humains, continua Gruff. Dans la console, nous combinons le gaz qu'ils expirent à un mélange spécial de composés chimiques. Une fois réunis, ils donnent *ceci* !

Gruff pointa le nuage de gaz qui s'élevait de la console et s'échappait par le trou dans le plafond.

— Je comprends, dit Max avec amertume. C'est le gaz qui fait baisser la température.

— Tu as tout compris ! rugit Gruff. Pour les dernières mises au point de notre plan, il faut que la température chute à -100 °C, mais malheureusement, nous avons un petit problème. Et c'est là que tu interviens.

Max jeta un œil aux thermomètres bloqués à -94 °C.

— Votre console est tombée en panne et vous voulez que je la répare ? demanda Max, plein d'espoir.

— La console fonctionne très bien ! cria Gruff en révélant des dents jaunes acérées. Et maintenant, que le spectacle commence !

Gruff tapa des mains. En haut de la pièce, au moins une centaine de créatures des neiges apparurent. Chacune prit place sur le balcon, qui offrait une vue parfaite sur toute la salle.

— Q-q-qu'est-ce que tu fais ? demanda Max nerveusement alors qu'une centaine de paires d'yeux cramoisis pleins de haine le fixaient d'en haut.

— MES AMIS ! hurla Gruff, le regard tourné vers le balcon. L'HEURE EST ENFIN VENUE D'EXÉCUTER NOTRE PLAN !

Une vague d'acclamations et de cris de joie s'éleva.

Gruff se retourna pour faire face à Max.

— Le problème, c'est que nous n'avons pas réussi à récolter tout à fait assez de dioxyde de carbone.

Je n'aime pas la tournure que prend la situation.

— Mais nous disposons maintenant du dernier humain nécessaire pour finir le boulot, dit Gruff en adressant un large sourire hideux à Max. TOI !

Max eut la gorge serrée par la nervosité. Gruff continua sur sa lancée.

— Vous, les humains, pensiez que nous étions juste un mythe — les yétis, Bigfoot et le reste d'entre nous. Mais nous sommes aussi réels que vous !

Gruff crachait ses mots.

— Pendant l'âge glaciaire, *nous* peuplions la surface de la Terre. Tout était recouvert de neige et de glace magnifiques. Il faisait agréablement froid et nous disposions de milliers de kilomètres pour nous promener. Mais quand la terre s'est réchauffée, nous avons été obligés de nous retirer sous terre dans de petits gouffres glacials. Oui, il faisait assez froid là-dessous pour survivre, mais nous manquions de place et nous ne nous sentions pas à l'aise ! À cause de vous, les humains, et de votre réchauffement de la planète, nous avons été contraints de rester là-dessous pendant des milliers et des milliers d'années. Eh bien, maintenant, c'est l'heure du grand gel. Lorsque la température atteindra -100 °C, le changement sera irréversible et il fera assez froid pour nous permettre de retourner à la surface.

Gruff leva les yeux sur le balcon.

— Bienvenue au NOUVEL ÂGE GLACIAIRE !

Ces paroles furent accueillies par les applaudissements et les cris des créatures des neiges. Les pensées de Max bourdonnaient furieusement dans sa tête.

Gruff ne tentait pas de réparer le système de chauffage à la station de recherche, il s'assurait qu'il reste détraqué afin de maintenir la température intérieure aussi basse que possible pour lui-même ! Et ça explique pourquoi il était à la station. Il était à l'endroit idéal pour voler du matériel. En outre, les créatures des neiges ont volé des tonnes de matériel sur Le Victorieux *– sans mentionner l'équipage au complet !*

– Ce nouvel âge glaciaire va faire de la terre un nid douillet pour nous, cria Gruff. Et ce pour les yétis, Bigfoot et même Alfred – celui que vous, les humains, appelez l'abominable homme des neiges.

Alfred ?

Max entendit soudain un bruit métallique sourd derrière lui. Il se retourna et vit deux créatures des neiges pousser un chariot qui portait un bloc de glace semblable aux autres, bien que celui-ci fût scindé en deux moitiés creuses.

Max frissonna.

– Ce n'est pas merveilleux ? rugit Gruff en jouant pour la galerie. Ce stupide gamin humain pensait qu'il pourrait nous arrêter, mais en fin de compte, c'est lui qui va nous fournir le dioxyde de carbone nécessaire pour compléter notre entreprise ! Pour quelle autre raison pense-t-il que nous l'avons conduit jusqu'ici – pour prendre une tasse de thé glacé ?

Des éclats de rire aigus retentirent sur le balcon. Gruff tapa des pattes et l'hilarité cessa immédiatement.

Il se jeta sur Max et le souleva carrément du sol. Max se débattit et se tortilla comme un acharné, mais la poigne de Gruff était incroyablement forte.

– Dis bonjour à ta nouvelle maison ! dit Gruff avec un sourire hideux. Nous espérons que tu te sentiras comme chez toi là-dedans !

– LÂCHEZ-MOI ! hurla Max alors que Gruff le jetait dans l'une des moitiés du bloc de glace.

Avant même que Max ne puisse faire un mouvement, une créature des neiges lui attacha un masque sur le visage. Gruff souleva ensuite l'autre moitié du bloc et la lâcha sur la première. Lorsque les deux moitiés se connectèrent, Max entendit un bruyant déclic et les deux morceaux de glace n'en formèrent plus qu'un. Le trentième prisonnier était désormais bien en place.

— NOOOOON ! cria Max de l'intérieur de sa prison.

La glace était tassée en une masse tellement compacte autour de lui qu'il parvenait à peine à bouger. Max ouvrit la bouche — bouche qui envoyait son dioxyde de carbone dans le tuyau, puis directement dans la console centrale — pour jurer entre ses dents. Horrifié, Max observa les thermomètres éparpillés dans la pièce passer tout à coup de -94 °C à -95 °C.

Max tremblait de rage (comme il le pouvait vu le manque de place). *Gruff a raison :*

ce sera mon dioxyde de carbone qui va finir le boulot pour eux !

Il se maudit lui-même pour avoir fait confiance à Gruff. Ceci dit, la couverture de Gruff dans la peau d'un expert de la survie de la télé avait été absolument brillante. Il n'avait pas seulement réussi à convaincre Max, mais dupé des millions de gens de par le monde.

Bon, je ne vais pas les arrêter en restant à l'intérieur de ce bloc de glace, donc il faut que je sorte. Mais comment ?

Max avança les lèvres de quelques centimètres et but une gorgée du liquide du tuyau bleu. Il était sucré et avait le goût d'une boisson gazeuse plate.

Supportable, mais pas mon futur choix de boisson !

Max se força à se décontracter autant que possible et essaya de baisser son bras droit. Il bougea de quelques millimètres, mais pas plus ; le jeune garçon était emballé et congelé comme une vulgaire dinde de Noël ! Il tenta la même chose avec son bras gauche et, à son soulagement, il disposait d'un tout petit peu plus d'amplitude de mouvement de ce côté. Il le plaqua de toutes ses forces contre son corps, puis le tendit le plus loin possible vers le bas. C'était atrocement lent, mais ses doigts finirent par atteindre la poche de sa combinaison de ski.

Il jeta un œil dans la salle. Les thermomètres venaient à l'instant d'atteindre -96 °C.

Je dois agir rapidement !

Centimètre après centimètre, Max enfonça la main dans sa poche et referma ses doigts autour des écouteurs coupe-glace. Ce faisant, il se souvint des informations de Zavonne.

Si la glace fait plus de 50 centimètres d'épaisseur, les écouteurs coupe-glace ne fonctionneront pas.

Dehors, Gruff enclenchait des interrupteurs et donnait des instructions étouffées aux créatures sur le balcon.

En inspirant profondément, Max se recula autant que possible. Ce mouvement lui laissa juste assez de place devant lui pour la prochaine étape de son plan.

Max leva les écouteurs devant lui et les tint approximativement à 30 centimètres d'écart. Il jeta un œil hors du bloc de glace. Son cœur se serra lorsque les thermomètres changèrent à nouveau pour indiquer -97 °C.

Il pressa les écouteurs contre la surface du bloc de glace. Pendant quelques secondes, rien ne se produisit, mais juste au moment où Max était sur le point de se laisser envahir par le désespoir, il entendit un léger craquement et un large cercle se dessina dans la glace. Le jeune garçon savait qu'il lui suffisait de pousser sur le cercle pour qu'il bascule en avant et laisse un trou assez grand pour lui permettre de se glisser à travers.

Mais Gruff se trouvait au milieu de la pièce, et une centaine d'autres créatures étaient dispersées sur le balcon. Dès que Max s'échapperait, elles seraient sur lui en l'espace de quelques secondes.

Tandis qu'il essayait frénétiquement de penser à un moyen de distraire Gruff et les créatures des neiges, les thermomètres amorcèrent un mouvement qui lui souleva le cœur ; -98 °C.

La gorge de Max se noua.

Le temps était compté.

Dans l'histoire du monde, personne n'avait eu autant besoin d'une diversion que moi à cette seconde précise.

En proie au désespoir, Max eut soudain une idée de génie. Il poussa ses lèvres vers le tuyau bleu qui pendait et *souffla* aussi fort qu'il le pouvait au lieu d'aspirer. Une grande ampoule rouge se mit à clignoter sur un panneau en acier du mur, de l'autre côté de la pièce, et une alarme criarde se déclencha.

Max vit Gruff courir jusqu'au panneau et il saisit sa chance.

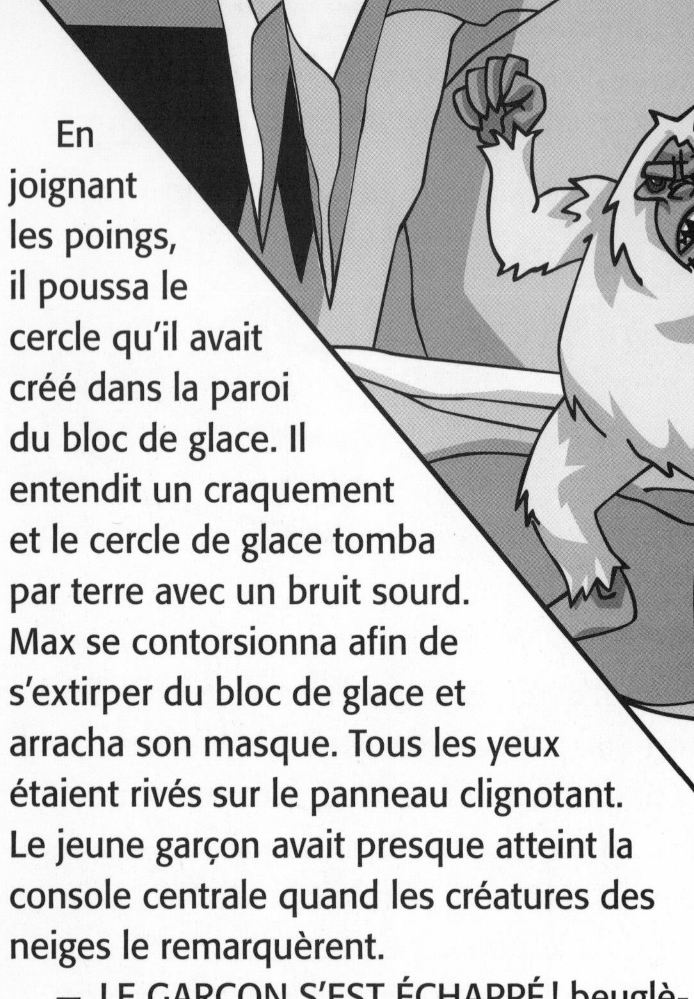

En joignant les poings, il poussa le cercle qu'il avait créé dans la paroi du bloc de glace. Il entendit un craquement et le cercle de glace tomba par terre avec un bruit sourd. Max se contorsionna afin de s'extirper du bloc de glace et arracha son masque. Tous les yeux étaient rivés sur le panneau clignotant. Le jeune garçon avait presque atteint la console centrale quand les créatures des neiges le remarquèrent.

— LE GARÇON S'EST ÉCHAPPÉ ! beuglèrent les créatures sur le balcon.

Max courut vers la console, le cœur battant à tout rompre.

Gruff s'empressa de traverser la salle vers Max et tendit le bras pour essayer de l'attraper par les chevilles, mais le jeune garçon l'esquiva et bondit dans les airs. Il se cramponna à un levier en acier sur la

console et l'utilisa pour escalader le côté de la console.

— ATTAQUEZ-LE ! hurla Gruff.

Une fraction de seconde plus tard, Max ressentit une douleur vive dans le dos. Il leva les yeux pour voir les créatures sur le balcon arracher des stalactites aux murs de la pièce afin de les lui jeter dessus. L'une de ces lances de glace le frappa à l'épaule et il poussa un cri de douleur, mais il s'agrippa à un autre levier de la console et se hissa plus près de la base de la cascade de verre.

Alors que d'autres stalactites lui tombaient dessus, Max envoya des coups de pied pour en intercepter autant que possible, mais l'une le toucha quand même au bras droit et une autre le heurta à l'arrière des jambes, lui faisant presque perdre l'équilibre. Il atteignit la base de la cascade à l'instant même où les chiffres se mirent à clignoter sur les thermomètres.

Je ne vais jamais y arriver !

Sous une pluie de stalactites, Max fouilla son sac à dos et en sortit le petit panneau solaire. Il le lança haut dans les airs. Il avait visé en plein dans le mille : le panneau solaire vola dans l'ouverture de la cascade. Il l'entendit se fracasser contre les parois avant de s'immobiliser.

Les rayons du soleil qui éclairaient la salle à travers le trou du plafond entrèrent immédiatement en contact avec le panneau solaire. Mais quand Max se retourna pour contrôler les thermomètres, il gémit : -99 °C. Il avait fait de son mieux, mais était-ce trop tard?

Alors que Max décidait de son prochain mouvement, le regard fixé sur la cascade, chaque créature des neiges présente dans la pièce eut soudain le souffle coupé par le choc. Max jeta à nouveau un œil aux thermomètres. Ils s'étaient stabilisés à -99 °C. Le jeune garçon retint son souffle. Dix secondes plus tard, l'indication changea.

Mais cette fois *dans l'autre sens.*

Les thermomètres retournèrent à -98 °C. Max ouvrit grand les yeux.

— TUEZ-LE ! hurla Gruff.

Une nouvelle vague de stalactites s'abattit sur Max, mais il ignora la douleur parce que les thermomètres changeaient à nouveau. Ils remontèrent à -97 °C et puis, coup sur coup, à -96 °C et à -95 °C.

Superrrrrrrrrrr ! Le panneau solaire fonctionne ! Il réchauffe le mélange responsable du refroidissement dans la console !

Max regarda en bas et vit Gruff debout, près de la console. Il essayait frénétiquement d'ouvrir une trappe sur le côté pour récupérer le panneau solaire, mais il avait beau tirer de toutes ses forces, la trappe ne bougeait pas et la température continuait de remonter.

Soudain, Max sentit plusieurs gouttelettes tomber sur son front. Il leva les yeux et constata que le plafond gelé de la pièce commençait à fondre. La température grimpait toujours. Les gouttelettes tombèrent de plus en plus vite et se changèrent bien vite en gouttes. Max sauta de la console et atterrit sur le sol de la salle.

Fini avec la console. Maintenant, il est temps de libérer les prisonniers.

Lorsque la température atteignit -55 °C, Max entendit les créatures des neiges sur les balcons pousser des gémissements.

La température commence à être trop élevée pour eux !

Quelques morceaux de mur se détachèrent et s'effondrèrent. Max les esquiva et courut jusqu'aux blocs de glace. Il y était presque quand il entendit les gémissements des créatures se changer en hurlements de douleur. Il regarda derrière lui et vit plusieurs créatures sauter du balcon, puis rester allongées sur le sol de la pièce pour essayer de se maintenir le plus au frais possible.

Max dérapa pour éviter une créature qui tombait et courut jusqu'à la prison de glace de Jenkins. Il poussa sur la moitié supérieure du bloc à plusieurs reprises, mais elle resta fermement en place. Il donna un coup d'épaule dans le bloc et brisa carrément le couvercle.

Il aida une Jenkins gelée et terrifiée à s'en extirper.

— Vous devez faire sortir les autres d'ici aussi vite que possible, dit-il à Jenkins.

— M-m-mais t-t-tu e-e-es… bégaya-t-elle, toujours prise de tremblements.

— Ne vous occupez pas de moi, ordonna Max. Il y a une petite ouverture dans le mur de la pièce, là-bas, où la glace est en train de fondre.

Et bien que Jenkins parvînt seulement à se déplacer lentement, elle atteignit le bloc de glace suivant. Elle aida le capitaine Hartnell à dégager un trou dans la paroi fondue. Ils entreprirent ensuite ensemble de libérer les autres.

Lorsque Max se tourna face au centre de la pièce, il constata qu'une énorme ouverture s'était formée dans le sol. Des créatures des neiges se jetaient rapidement dedans.

Ce trou doit mener aux gouffres de glace dont Gruff parlait !

Les thermomètres indiquaient maintenant -40 °C et Max fut traversé par un sentiment de satisfaction. Mais ce sentiment

fut de courte durée, car il sentit tout à coup une main puissante se refermer sur sa gorge.

— MAINTENANT, TU VAS VOIR CE QUE ÇA FAIT D'ÊTRE VRAIMENT EN PRISON ! hurla Gruff.

Gruff empoigna fermement Max et le traîna vers le trou. D'énormes blocs de glace s'écrasaient maintenant sur le sol de la salle et les dernières créatures se jetaient dans les abîmes de glace. Et lorsque le trou s'agrandit encore, la console centrale plongea également hors de vue.

— Tu as peut-être ruiné notre plan, aboya Gruff, mais tu vas t'enfoncer avec nous!

Max frissonna en s'imaginant la vie dans les confins glacés de la terre. Se rendant compte qu'il ne lui restait que quelques secondes pour se sauver, il tendit soudain la main, attrapa une touffe de poils sur la poitrine de Gruff et tira de toutes ses forces.

— Aaaarrrggggghhhhhh ! hurla Gruff.

Il lâcha Max et se tordit de douleur. Le jeune garçon se pencha en avant et poussa Gruff par-derrière. Ce dernier bascula dans le trou en hurlant :

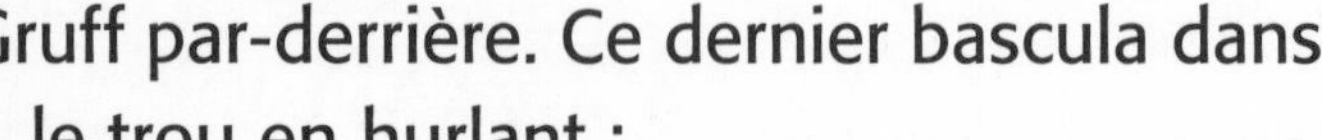

— JE N'AI PAS DIT MON DERNIER MOT !

Des torrents d'eau se répandaient

désormais quand Max courut vers le trou par lequel Jenkins et le capitaine Hartnell avaient conduit les autres prisonniers. Mais la route de Max fut tout à coup bloquée par une créature des neiges. Ses yeux sombres cramoisis lui jetaient un regard venimeux. Max remarqua quelque chose dans sa main – une caméra. C'était Jim !

– Gruff a peut-être échoué, mais moi, je réussirai ! rugit-il en bombant le torse et en essayant d'atteindre Max.

Max esquiva le coup et Jim frappa dans le vide, laissant tomber sa caméra par terre.

Sans perdre une seconde, Max ramassa la caméra pour frapper Jim dans le dos. Elle vola de ses mains et suivit le caméraman d'un côté à l'autre de la pièce pour finir dans le gigantesque trou. Max plongea hors de la trajectoire d'un énorme morceau de glace qui s'écrasait au sol.

Il est temps de mettre les voiles !

Mais le chemin de la sortie était désormais obstrué par le morceau de glace.

Max courut jusqu'au mur de glace et lui décocha son plus puissant coup de pied. Il dégagea une petite ouverture et y plongea. Il percuta le sol dehors, se releva et reprit sa course. Une fraction de seconde plus tard, le plafond tout entier s'effondra, à l'instar des murs de la pièce.

Max se retourna et observa le gigantesque monticule de neige et de glace fondante. S'il n'était pas allé dans la salle, il n'aurait jamais cru qu'elle puisse avoir un jour existé. Il se retourna et vit un peu plus loin un groupe de gens transis par le froid et exténués. Il les rejoignit au pas de course et repéra Jenkins.

— Q-q-qui… es-tu? articula-t-elle sans émettre un son.

Conscient de la nécessité de garder son identité secrète, Max répondit :

— Personne.

Il bondit ensuite sur l'une des motoneiges pour regagner la station de recherche à toute vitesse. Une fois rentré, il s'empara du matériel de communication par satellite et contacta les services d'urgence. Ils décrochèrent immédiatement et le jeune garçon leur donna ses instructions.

— Nous avons besoin de tous les hélicoptères et du personnel dont vous disposez aux coordonnées suivantes dans le secteur de Bolt…

Trois heures plus tard, Max disait au revoir au Dr Klosh et à la Dre Holroyd.

— Au revoir, les amis, et merci pour votre aide, dit Max.

Les scientifiques opinèrent.

— La température semble à présent s'être stabilisée, dit Klosh en se tournant vers Holroyd.

Bon, qu'est-ce que j'espérais?

Max sortit de la station et se dirigea vers l'hélicoptère du MDAS qui l'attendait, planant au-dessus du sol. Il grimpa l'échelle. Le pilote lui fit signe que tout était prêt et ils s'éloignèrent rapidement.

À l'aéroport, pendant que Max attendait son vol de retour, un bulletin d'informations retint son attention sur un écran de la salle d'embarquement.

— Nous avons été informés d'une opération de recherche et de sauvetage majeure dans une zone de l'Antarctique appelée secteur de Bolt, annonça le présentateur.

Les yeux de Max s'illuminèrent.

— On nous apprend que le capitaine et l'équipage du navire de la marine britannique sinistré, *Le Victorieux,* figurent parmi les rescapés…

Le présentateur afficha une expression incrédule.

— Je reçois à l'instant les dernières nouvelles qui m'informent que plusieurs explorateurs qui s'étaient volatilisés dans la région sans laisser de trace — certains depuis deux *ans* — comptent également parmi les survivants. Leurs températures corporelles étaient exceptionnellement basses, mais par miracle, aucun d'eux ne souffrait d'hypothermie. Les survivants ont relaté toutes sortes de récits : ils ont raconté avoir été gelés dans des blocs de glace par d'étranges créatures semblables à des yétis. L'une d'entre eux, une certaine Dre Stella Jenkins, a décrit comment un garçon remarquable est parvenu à libérer tout le monde. Nous sommes en direct avec le Dr Tarquin Carruthers, spécialiste en psychologie des survivants de conditions climatiques extrêmes. Dr Carruthers, que pensez-vous de ces déclarations ?

— Les personnes qui restent longtemps emprisonnées dans la neige parlent souvent d'une manière insensée une fois libérées. J'appelle ce phénomène le bredouillage postglacier.

— Qu'en est-il de ces signalements d'un mystérieux garçon ?

— Ce « garçon » n'est rien de plus que le fruit de leur imagination ; il symbolise leur liberté. Il sera intéressant d'entendre ce que les survivants auront à dire une fois que leur corps et leur esprit auront repris leur température normale.

Le présentateur enchaîna avec un autre reportage et Max se détourna de l'écran.

Hmm, j'ai réussi à libérer tout le monde et à empêcher la température de descendre à -100 °C, mais ai-je grillé ma couverture ?

À l'atterrissage, un taxi attendait Max et le jeune garçon fut bien vite rentré à la maison. Il eut droit à une vigoureuse étreinte de la part de sa mère lorsqu'il passa la porte d'entrée.

— Nous avons vu le reportage au bulletin d'informations, dit-elle. Nous sommes incroyablement fiers de toi.

— Ma-man, dit Max en se dégageant de son étreinte.

— Elle a raison, dit son père, le visage rayonnant.

Il pressa affectueusement l'épaule de Max.

— On dirait que tu as accompli un travail remarquable, là-bas.

— J'ai fait de mon mieux, répondit Max.

— Zavonne veut que tu descendes immédiatement au centre de communication pour un compte-rendu, dit sa mère.

Max n'était pas pressé de voir Zavonne. Lorsqu'il entra dans la pièce, son visage apparaissait déjà sur le grand écran plasma.

J'espère juste ne pas avoir trop d'ennuis!

— Que tu aies abîmé l'une des motoneiges ne m'enchante pas vraiment, fut le commentaire d'ouverture de Zavonne.

Je n'aime pas la tournure que prend la conversation...

— Néanmoins, et heureusement pour toi, la Dre Jenkins a été informée que tu avais quitté la région bien avant son « évasion » et elle est désormais entièrement convaincue qu'elle était victime d'hallucinations dans la salle de glace. Elle est également certaine que son enlèvement par les créatures des neiges a aussi été inventé par son esprit traumatisé.

Heureusement!

— Je suppose que les docteurs Holroyd et Klosh ne soupçonnent pas ton implication dans quoi que ce soit?

— Ils sont trop absorbés par leurs recherches, répondit Max.

— Ai-je raison de croire que l'infrastructure des créatures des neiges a été complètement détruite et qu'ils ont tous regagné leurs gouffres de glace? Et que la température dans le secteur de Bolt est revenue à la normale?

Max acquiesça.

— Bien, c'est déjà ça, fit remarquer Zavonne en faisant la moue.

Une pensée frappa Max.

— Euh, Zavonne?

— Oui?

— Vous savez que mes vacances en Californie ont été écourtées et que j'ai raté tout ce soleil et ces heures de surf? Eh bien, le MDAS prévoit-il quoi que ce soit à titre de dédommagement? Vous savez… quelque chose pour compenser les sessions de sport aquatique perdues?

Zavonne y songea pendant quelques secondes.

Je vais enfin obtenir quelque chose de convenable d'elle!

Un tiroir en métal se mit à clignoter sur le mur.

— Regarde à l'intérieur, lui dit Zavonne.

Max ouvrit le tiroir avec impatience et sortit une petite carte rectangulaire avec quelque chose d'écrit sur un côté :

Ce ticket donne droit à
une séance gratuite de 45 minutes
dans une piscine locale.

Lorsque le visage de Zavonne disparut de l'écran, Max grommela.

Incroyable!

Tandis que Max remontait l'escalier d'un pas lourd, une moitié de lui était furieuse contre Zavonne pour son ingratitude, mais l'autre moitié attendait déjà la prochaine convocation. Max Flash savait que la mission suivante ne se présenterait pas assez vite à son goût.

ÉPILOGUE

À plusieurs kilomètres sous la surface de la Terre, de très nombreuses créatures des neiges étaient entassées les unes sur les autres dans un gouffre de glace exigu et faiblement éclairé où régnait un froid polaire.

— Regarde le bon côté des choses, dit Jim, nous y sommes *presque* arrivés. Si ce gamin était arrivé une minute plus tard avec le truc du panneau solaire, nous serions en train de siroter des cocktails de neige dans des verres de glace à l'heure qu'il est.

— *Presque* n'est pas suffisant ! répliqua Gruff. J'aurais dû garder mon poste à la télé — c'est toujours mieux que d'être coincé ici.

— Attends une seconde, dit Jim. Ma caméra est tombée avec moi. Nous pouvons toujours tourner des films. Qu'est-ce que t'en dis ?

— Des films sur quoi ? ronchonna Gruff. L'obscurité et l'ennui que nous allons vivre pendant le million d'années à venir ?

— C’est un début, dit Jim, le visage souriant.

Il prit sa caméra.

Gruff soupira de lassitude.

— D’accord, je vais le faire.

— Aplatis juste un peu ta fourrure au-dessus, lui demanda Jim.

Gruff tapota sur sa fourrure.

— C’est mieux ? demanda-t-il.

Jim lui fit signe que c’était parfait et appuya sur le bouton de veille de la caméra.

Gruff s’éclaircit la voix et afficha son plus beau sourire de charmeur pour la télé.

— Et action ! annonça Jim.

MAX FLASH

MISSIONS

COURT-CIRCUIT

Jonny Zucker

A·A

NOUS AVONS DÉCOUVERT QUE DES VISITEURS-ROBOTS, VENUS D'UN MONDE PARALLÈLE, FURETAIENT DANS UN ENTREPÔT DE LONDRES. NOUS CRAIGNONS QU'ILS AIENT DES INTENTIONS MALVEILLANTES, ET NOUS VOULONS QUE TU VISITES LEUR MONDE POUR METTRE FIN AU PLAN QU'ILS COUVENT.

UN COMPLOT DE ROBOTS? ÉLECTRISANT !

DES ROBOTS FUTURISTES AUX INTENTIONS MEURTRIÈRES SE PROMÈNENT EN VILLE!

REJOIGNEZ MAX POUR SA PROCHAINE MISSION INCROYABLE : COURT-CIRCUIT.
ON SE RETROUVE BIENTÔT!